ちくま文庫

新版 一生モノの勉強法

理系的「知的生産戦略」のすべて

鎌田浩毅

筑摩書房

はじめに——成功するための戦略的な勉強とは

私は京都大学で教鞭を執る火山学者ですが、バラエティ番組などに出演することもあります。

私の「真っ赤な革ジャンに赤いパンツ」という全身赤ずくめのファッションは、大学教授というお堅い肩書きと大きなギャップがあり、共演するタレントさんには、ちょくちょくいじられて笑われます。

しかし、これは私の「戦略」によるものです。その戦略は、「勉強」というキーワードと大きく関わっています。

この本を手に取られた大人のあなたは、大なり小なり「勉強」について気になっているのではないでしょうか。

すでに勉強をしているが成果が出ない、勉強したいけれど初めの一歩が踏み出せない。本当は勉強はキライだけど、今どうしても勉強せざるをえない、など。状況はそれぞれでも、何となく「勉強の必要性」について感じているはずです。

では、なぜ大人になってまで「勉強したい」「勉強しなければ」と思っているのでしょう?

それは「少しでも成果をあげたい」「いい結果を出したい」と思っているからではないでしょうか?

あるいは、**仕事で何らかの成果（＝アウトプット）を出し、「周囲に認めてもらいたい」からではないでしょうか?**

そのアウトプットのために、インプット（＝勉強）を求めているのです。

大人になって勉強するのは、「成功」という目的のためだと言うこともできます。

アウトプットを認めてもらえないような勉強は、ちょっと言い方はきついかもしれませんが、大人にとっては「価値」がないのです。

もし目的が「成功」であれば、自ずと「戦略」が必要になってきます。

ここで私の「戦略」についてご紹介しましょう。私の場合、多くの人に火山を身近に感じてもらえたら、「周囲に認められた」状況と言えます。

私にとっての仕事の核は、火山に関する専門知識です。火山と噴火に関しては誰にも負けない、というくらいの知識を身につける必要があります。そのために、当然ながら世界中の火山現象について「勉強」してきました。

しかし、これだけでは不十分です。勉強から生まれてくるアウトプットを、周囲に認めてもらう必要があります。火山のプロフェッショナルは、勉強した成果を社会へ還元しなければなりません。その結果として、多くの人に火山を身近に感じてもらえるからです。

たとえば専門家しか読まないような本を書いても、一般の読者に読んでいただけないのは自明の理。専門用語をたくさん用いた話をしても、一般の方どころか京都大学の学生にも聴いてもらえるか、はなはだ怪しいものです。

つまり、私の仕事では「わかりやすい書き方」、また「聴きやすい話し方」についても「勉強」しなければならないのです。より魅力的なプレゼンテーションを行うための知識も必要になってきます。

私は自分の著書について、「どうすれば本を読んでもらえるのか」を知るため、教授になってからマーケティングの勉強もしました。加えて火山の研究は、フィールドワーク（野外調査）で山に登ることも多いので、みなさんに興味を持っていただけるように、登山や温泉に関する勉強もしました。

私の勉強は、火山や地盤に関連することだけではありません。古典やオペラなど「教養」と呼ばれるものについての知識を増やすようにも努めました。「教養」は、**私に注目してもらったあと、相手にさらに面白がってもらうための勉強でもあります。**

火山学者になって火山の知識が豊富だからといって、それだけで満足していると「専門バカ」になってしまいます。人間的な魅力の源である教養がなければ、周りは関心を持ち続けてはくれないのです。

そのためには、さまざまなジャンルの本を読むのはもちろん、人と積極的に会って話をする必要もあります。場合によっては資格を取得しなければならない局面もあるでしょうし、お酒を飲んだり旅行する経験が生きることもあります。

「勉強」とは、これらのすべてを含むわけです。**人間力を磨くものすべてが勉強と言ってもよいでしょう。**

ちなみに、私は火山の話を聴いてもらうにあたり、まずは私という人間に注目してもらうために、第一印象でインパクトを与えようとファッションに気を配りました。

私が真っ赤なファッションに全身をつつんでいるのは、マグマの赤と情熱の赤を表現しているからです。こうした奇抜なファッションのせいで、大学生はもちろん、テレビ番組ではタレントさんにも「変てこなオモロイ教授だ」と注目してもらえます。テレビ番組に出演できるのも、また番組でタレントさんが私をいじり笑ってくれて、そして私の話に耳を傾けてくれるのも、私が「戦略的に」身につけてきた勉強の成果にほかなりません。

すなわち、火山の勉強だけでなく、これまでしてきた他のすべての勉強が役に立ってきたのです。こうやってはじめて、私の本来の目的である「火山を伝えること」、そして「噴火災害から身を守っていただくこと」が成就（じょうじゅ）するのです。

「成功するための戦略的な勉強」は、大学教授だけでなく、何かを指導する立場の人、また組織を率いていくリーダーにとって必要不可欠なものです。仕事の知識が豊富であることはもちろん、人間力も周りの人に認めてもらわなければならないからです。もっと言えば、ビジネスパーソンをはじめとするすべての人にとって必要です。人に認められたいという気持ちは、誰もが持っているはずだからです。

本書では、私の試行錯誤の経験から生み出した勉強のテクニックをあますところなく紹介しています。これらはまさに「一生モノ」の勉強法です。

「仕事の核」となる知識の身につけ方はもちろん、教養を磨く勉強や、周囲の人にうまく伝えるためのコミュニケーション技術についても触れました。

これらは、大人の勉強が「その場限りの勉強」ではなく、数十年のタイムスパンを経ても色あせない、汎用性のある一生モノの勉強となってほしい、という私の強い願いからです。人生100年時代にも通用する、まさに「一生モノの勉強」なのです。

しかも、勉強はいつから始めても決して遅いということがありません。多くの良いインプットを手にし、質の高いアウトプットを出し、周囲から評価されることで、あなたは大きな満足感と「生きがい」が得られるはずです。

本書は2009年4月に東洋経済新報社より刊行された『一生モノの勉強法』を、新版として大幅に加筆・再構成したものです。この本は私のビジネス書としては予想外にたくさん読まれて、いまでも勉強法の必読書として雑誌で紹介されます。

そこで今回は副題を加え、10年が経過した後の新しい勉強法の考え方とテクニックを追加しました。つまり、「一生モノ」という勉強に関する基本の考え方は変わりませんが、ＡＩ（人工知能）の時代に合わせてコンテンツをバージョンアップしたのです。

勉強が一生の時間を豊かにすることは疑いようのない事実です。でも、それが本当だと思えるようになるには、とても長い時間がかかります。私にも勉強はキライだと思った時期が何度もありました。身近な友人にも、お世辞にも勉強が好きとは言えない悪友がたくさんいます。よって、私自身も含めて「勉強は苦手だ」と思う人の気持ちはよくわかります。

だからこそ本書は、勉強をかろうじてやり過ごす、そしてできればラクに進める「技術」を披露しています。そのためにチョットだけ事前に準備しておく「システム」を、私の50年に及ぶ勉強経験をもとに全て開示しました。

言うなれば、「勉強ギライの人が使える一生モノの勉強法」となるでしょう。本書のこうしたコンセプトが何らかの形で読者の皆さんの勉強に貢献できれば、この上ない幸せです。

鎌田浩毅

目次

第2章 勉強の時間を作り出すテクニック

第4章　知の武器である本の上手な選び方……147

第5章　最強の「知的生産」読書術はこれだ　……177

第6章 知的生産の「システム作り」のコツ

第7章 人から上手に教わると学びが加速する……267

新版 一生モノの勉強法——理系的「知的生産戦略」のすべて

章扉デザイン　石間淳
本文イラスト　とくながあきこ
本文図版　朝日メディアインターナショナル

第1章
「戦略的」な勉強法は、面白くてためになる！

1980年に起きた米国セントヘレンズ火山の大噴火

▼「場当たり」的な勉強をしてはいけない

社会人の間で「勉強」がブームのようです。すでに一線で働いている人が、社会人大学や各種学校に通って学び直したり、資格試験にチャレンジするという話をよく耳にします。すばらしいことです。

しかし、そういった人たちの多くが、一方では勉強に追い立てられているように見えるのは、なぜでしょうか。どうも「勉強しなければいけない」という意識が、強迫観念のように先走っているようなのです。

たしかに今、私たちが生きているのは、不確実で変化の激しい社会です。現在やっている仕事がきちんと将来に生かされるのか、心もとなく思えるのも無理はありません。そのために何かを一生懸命に学ぶことで、将来的な安心を得ようとするのでしょう。

ただ、不安だからといって「なんとなく」勉強をしても、身につくものはたかが知れています。長続きもしないでしょうし、本当は不安から解消されることもないのです。

勉強をする前にまず意識してほしいのは、勉強は「場当たり的にするものではない」ということです。

読者のみなさんは、高校や大学受験時に勉強した内容を記憶しているでしょうか。おそらくたいへんな努力をしたにもかかわらず、合格した瞬間から、ため込んだ知識は少しずつ失われてしまったのではないでしょうか。

そして今では、断片的な知識がわずかだけ残っている、といったお寒い状態かもしれません。つまり、残念ながら、日本の学校では「試験に受かったらおしまい」になっているのです。

私が教えている京都大学でも、入学したときは高い学力を持っていた学生がみるみるレベルダウンしていくのを、目の当たりにすることがあります。大学に入ってからだんだん頭が悪くなる、という笑えない現実があるのです。

こうした「場当たり的な勉強」が体に染みついているせいか、社会人になってからも同じパターンを繰り返す人がいます。転職にＴＯＥＩＣの資格が必要となれば熱心に勉強するのに、合格した直後をピークに英語力は低下の一途をたどる、という具合です。

しかし、勉強して身についたものは、本来ずっと継続するものなのです。たとえば自転車に乗るというスキルは、いったん習得すれば、いつまでも失うことはありません。それとまったく同じことです。正しい勉強法であれば、本当は消えることはないのです。

勉強は「場当たり的」にするのではなく、戦略のもとにするものでなくてはなりません。特に大人が勉強するにあたっては、「人から認められること」を念頭に置く必要があります。見栄や自己満足で勉強をしようとしてはいけません。

勉強は最終的には、人や社会から認められてナンボのものなのです。

▼「知識」→「アウトプット」→「教養」の好サイクルを回そう

仕事で良い成果を残すためには、以下のようなことが必要です。

①まず仕事に関係する知識を習得する

日々の業務を行うためには、基本的な知識に加え、周辺の知識が不可欠です。これらは、自分の能力の「核」となるものです。

②次に、幅広い知識を使って、とりあえず「アウトプット」していく

このアウトプットを出すため周囲の人たちに理解してもらう、あるいは協力してもらうためのスキルを身につける必要があるでしょう。

③三番目に、周囲の人を引きつけるため、人間的な「魅力」を磨く

与えられた仕事の周辺知識に限らず、幅広く深い「教養」を身につけることが大切でしょう。

要するに、差し迫っての仕事の勉強も大切であり、常に好奇心を持ち続けて教養を**深めるのも大切ということです**。実は、両者はある部分では、不可分に結びついているものです。

たとえば、仕事においても好奇心を満たすための努力をしていると、教養がどんどん深まっていきます。仕事ができる人は、往々にして確かな教養の裏付けを持っているのです。

また、人間的に魅力を持っている人のところに、人は自然と集まってきます。それが、さらに仕事を推し進め自分の実力を向上させるという良いサイクルを作り上げるのです。

したがって、周りの空気に乗せられて、なんとなく勉強してはいけません。勉強に大切なのはまず「戦略」です。自分は将来何をしたいのか。そして、どういう人間になっていいたいのか。

そのためには、どういうスキルを身につけて、周囲の人たちにどうアピールしていくのか。勉強するということは、こうした問題ときちんと向き合うことにほかなりません。

▼「面白く学べる」テーマは仕事の中に転がっている

戦略的に勉強をする、などというと、少し尻込みしてしまう人がいるかもしれません。

もしかすると「勉強は苦しみながらするもの」という先入観を持ってはいないでしょうか？ 私が思うに、そもそも「勉強」という言葉の響きが良くないのです。

勉めて強いる――なんだか、辛い思いをしながら頑張らないと身につかないイメージがありませんか。見ただけで気が重くなりそうな言葉です。

しかし、勉強というのは、本来楽しいものなのです。人間は誰でも知的好奇心を持っています。物事の理屈がわかって「なるほど」と理解できれば、とても嬉しくなる生き物です。未知の扉を開く楽しみが、勉強にはもともとあるのです。

「面白くてためになる」――これは私が日々標榜しているキャッチコピーです。講義でも講演会でも、面白くてためになるメッセージを発するのが、自分の仕事だと考えています。

私は、自分が専門とする「科学」を「科楽」という言葉に変えたいともくろんでいます。音楽は「音学」とは表記しません。ならば、科学だって「科楽」にできるはずです。

では、いったいどうすれば勉強は楽しくなるのでしょうか。

まずは、仕事の中から、これなら興味が湧いてくるというテーマを見つけることです。

▼40代を過ぎてからマーケティングの勉強

たとえば、私は火山学者として、これまで火山や地球に関する本を25冊ほど執筆しました（2020年3月末現在）。火山の本というのは爆発的に売れるものでもありません。でも、少しでも多くの読者に火山の面白さを知ってほしいというのが、著者の人情です。

そこで「どうすれば本が売れるのか」を知るために、マーケティングの本を読むことにしました。もとよりマーケティングは私の専門外です。書店に行っても何から手にしてよいのやらわかりません。そこで民間企業に勤める知り合いに「素人でもわかる本を教えてほしい」と頼んで、何冊か紹介してもらいました。

マーケティングの本を読んでみると、私が日々接してきたのとは別の世界が広がっていました。

一般書を書く機会を持たなかった学者は、専門的な「内輪の文体」で論文を書く習慣がついています。しかし、火山の迫力を伝えたいときに専門用語を使って書いても、

一般読者にはピンと来ません。専門家だけが狭い世界で興奮していても仕方がないのです。

火山の迫力を理解してもらうには、読者にとって身近な例を出すことです。それには読者の関心が何かを探る必要があります。マーケティングに関心を持ってからは、読者を意識した執筆を心掛けるようになりました。

文系の人にも興味を持っていただくため、阿蘇山を描いた夏目漱石の小説『二百十日』の一節を引用してはどうだろう（『火山はすごい』PHP文庫、30ページ）。そんな発想が生まれたのも、45歳を過ぎてからマーケティングを勉強した大きな効用です。

これは、ビジネスパーソンにも応用できる考え方ではないでしょうか。

仕事で一つの商品に関わったならば、今度はその商品がどこからやってきたのかを考えてみるのです。原料や工程や流通などについて深く知れば、思ってもみなかった新しい発見があるかもしれません。

つまり、「仕事だから」と嫌々勉強するから面白くないのです。誰だって人から押しつけられるのは、気持ちのよいことではありません。人から与えられたのではないところに、自分の興味を見つけ出せばよいのです。

面白さには「思いこみの大事さ」という側面もあります。自分が好きで選んだ調査や勉強だと思えば、物事は何でも興味深く感じられるものです。

会社では、上司から割り振られた仕事を締め切りまでにこなす、という状況が少なくないでしょう。けれども、結果を出すことさえはずさなければ、自分の裁量で興味のある分野の勉強を掘り進めることができます。何事も「面白く学ぶ」という方向に持っていければ、こっちのものなのです。

▼磨くべきは「コンテンツ」「ノウハウ」「ロジカルシンキング」のスキル

また、仕事のための勉強には、三つの能力を磨くことを意識する必要があります。三つの能力とは、①コンテンツ能力、②ノウハウ能力、③ロジカルシンキング能力です。

コンテンツ（contents）能力とは、知識の中身（コンテンツ）を身につける力です。つまり、最終的なアウトプットの前提となる知識を身につけることです。

たとえば、仕事で清涼飲料水の商品開発を担当するとしましょう。この場合、商品にかかわる膨大な知識を得ておく必要があります。「清涼飲料水とは何か」に始まって、成分や過去のヒット商品、流通構造やマーケットの動向にいたるまで、深く掘り下げておくことが不可欠です。

次に、ノウハウ（know-how）能力は、仕事のやり方についての具体的なテクニックやハウツーに関する力のことです。時間内に仕事を進めたり、円滑に行う方法を知っているかどうかです。

図1　3つの能力がアウトプットにつながる

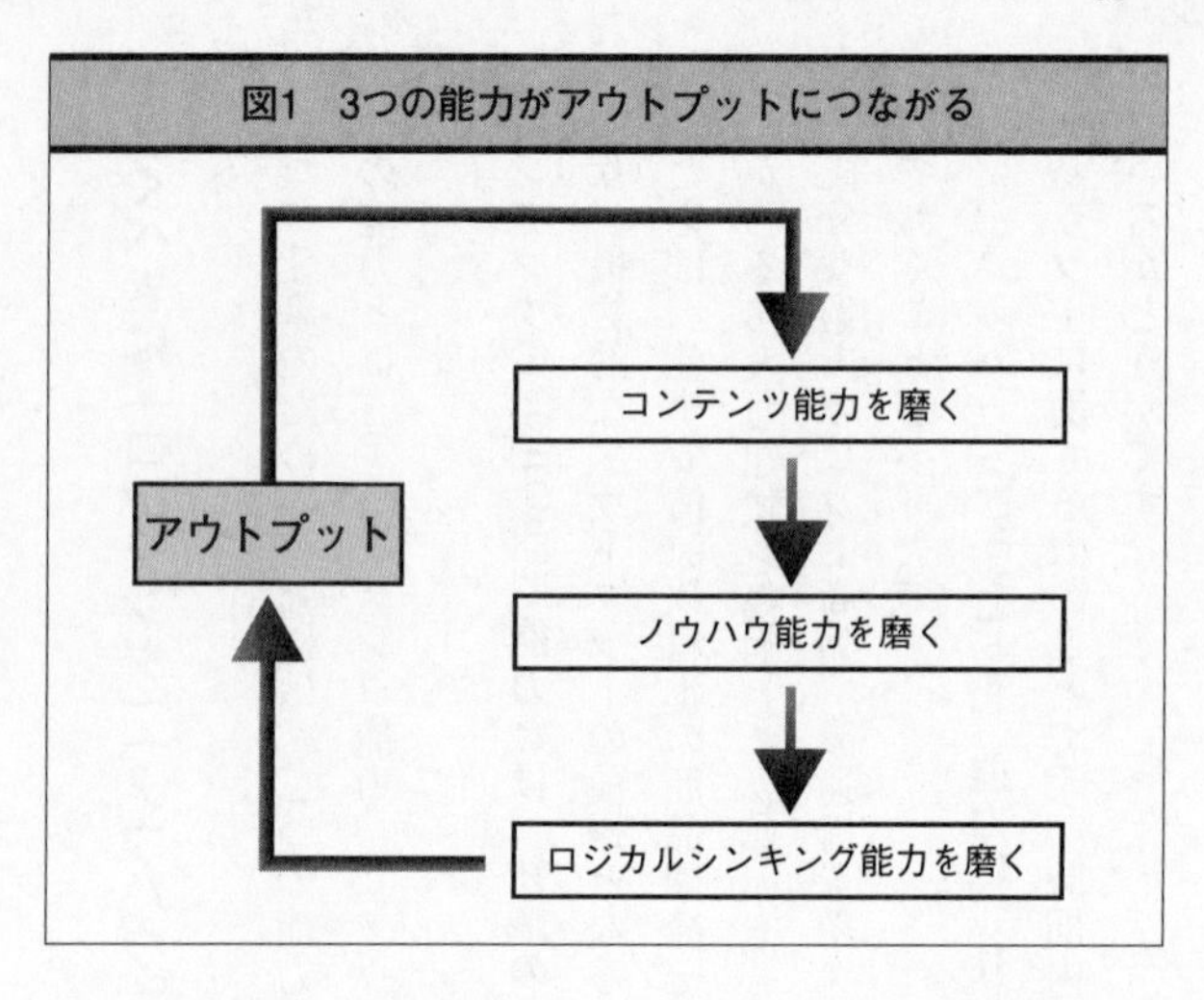

たとえば、営業部にセールスの協力者を増やすようにお願いしたり、価格設定を協議したりといった各種のアレンジがこれに当たるでしょう。さらに、「プレゼンの資料をビジュアルで見せる」などの細かいテクニックをも指します。

しかし、どれだけたくさんの材料（コンテンツ）を集めたところで、上司や営業部に対して「なるほど」と思わせる企画に仕立て上げなければ、新商品は日の目を見ません。ここでは最終的にデータを論理立てていく作業が必要になります。

この論理立てを支えるのがロジカル

シンキング（logical thinking）能力です。ロジカルシンキング能力は、先に述べたコンテンツ能力とノウハウ能力よりも高度の能力で、具体的に勉強をしていく過程で身についてくるものです。ものごとを常に論理的に見ていく思考によって養われる、と言ってもよいでしょう。

仕事力をアップするには、この三つの能力を磨くことを意識しなければなりません。どれか一つの能力だけを高めていっても、人を動かすことはできないのです。

人を動かさないことには、大きなアウトプットにつながらないのは目に見えています。したがって、コンテンツ能力、ノウハウ能力、ロジカルシンキング能力の三者を、バランスよく身につけることが大切なのです（図1）。

勉強でスキルアップを図りたいならば、いま自分がやっている勉強が、三つの能力のうち、どれを磨くことにつながっているのかを、確認しておく必要があるのです。

▼「好きな勉強」にこだわりすぎるな

仕事力をアップさせるための勉強をする上で、最終的に目指すべきは「スペシャリスト」になることです。他の追随を許さない「武器」を持つということです。

武器とは、「得意なこと」「人よりできること」を意味します。これは「好きなこと」とは少し違います。

自分が好きなこと、なおかつ個性的なことを目指すのがハッピーであるという考え方が、人口に膾炙（かいしゃ）しています。これについて私は疑問を持っています。好きなことで成功しなければいけないという幻想が、結局は仕事に適応できない若者を大量に生み出しているような気がしてなりません。

「自分のやりたいことを見つけたい」と言いながら、転職を繰り返す人がいます。しかし、得てしてこういう人は、どの職場でも不満を持ち続けながら仕事をしているようです。

好きなことに執着するあまり、「もっと自分らしい仕事があるはずだ」という思いから抜け出せなくなってしまうのです。はたで見ていて少し気の毒に思うこともあります。

世間では、素直に世の中の要望に応えていくほうが、往々にしてうまくいくことがあります。人に喜んでもらうことができれば、たいていの場合は成功です。成果に対する周囲の評価が高いということだからです。これが「人よりできること」の意味なのです。

私も「好きなことをやりたい」という気持ちは否定しません。もちろん、好きなことで成功している人がいることは確かですし、こうなることは人生の目標でしょう。

ただし、誰しも最初から好きなことをしてきたわけではないのです。地道な努力を積み重ねて人から評価される過程で、次第に自分がやっていることが好きになっていくというケースがあります。こういう生き方をまずイメージしてほしいのです。

好きなこと探しに邁進(まいしん)する前に、まずは自分の「得意分野」と「不得意分野」を冷静に判断すること。

もし、ここで自分では判断がつかないようであれば、他人の目で評価してもらうのも一策です。岡目八目(おかめはちもく)という言葉がありますが、周囲の人のほうが本質をつかむことは珍しくありません。

才能というのは、自分がこれまで一顧だにしなかった分野で開花することがあります。とくに若い人には、そのことをぜひ知ってほしいと思うのです。

▼「スキマ」にこそ投資の醍醐味がある

自分が得意とする分野の中から、最初に「一生の武器」になるものを厳選してみてください。「これはいける」と思えるような内容です。ここでは、将来的に投資価値の高い分野を選択する、という視点が大切です。

「投資価値」とは、自分に対する投資として効果が最大になるようなもののことです。何にでも投資すれば回収できるものではありません。きちんと自分を見つめて、何にどれくらい投資するかについて、頭を巡らせなければいけません。

一般的に考えて、たくさんの人たちが参入していない分野には投資価値があります。いわば「スキマを見つける」ということです。

自動車メーカー間の熾烈なシェア争いを見れば、ナンバーワンになることがいかに大変かがわかります。手強いライバルを出し抜いて一時はナンバーワンになっても、投資の回収効率は1～2割程度かもしれません。

一方では、「スキマ」を上手に見つけて、この分野でのパイオニアになる方法もあります。ひとたびオンリーワンになってしまえば競争者がいないので、あとは投資した分を思う存分回収できるのです。

現にスキマのように見えているのは、すでに空白が存在するということではありません。大事なのは、「今は見えていないけれど、将来的に人が欲するだろう」というスキマです。

そのために、世の中の「流れ」を知ることはとても重要です。そもそもスキマ産業を見つけるにしても、世の中にすでにどんな産業が確立しているのかを知らなければ、何がスキマなのかも判然としないのですから。

▼無理だと思った勉強は捨ててよい

さて、大人の勉強には、「捨てる」という大事な発想がここで登場してきます。

学校の勉強では、英語ができないからといって、必修である限り英語の授業を勝手にサボることは許されないでしょう。

しかし、大人の勉強では「どうしても無理だと思ったら捨てる」という姿勢もアリです。短期的にはもったいないと思っても、また、世間でいくらもてはやされているテーマだとしても、自分には無理と感じた勉強からすっぱり手を引いてもよいのです。

株式投資の世界には「損切り」という言葉があります。損の出ている証券を売って、損失を最小限に確定させることです。これと同じ考え方です。損失を拡大させないためには、ある程度のところで見切りをつける行為が求められます。

思い切って損切りをして、投資価値の高い分野に持てる力を注ぐというのも、大事な戦略の一つです。

何だか難しそうな話になりましたが、大事なポイントはきわめて単純です。覚えておいてほしいのは、「武器を身につける意識を持つ」と、「武器は好きなこととは限らない」の2つだけです。

そして、その「武器」をたえず磨くことが、自分をレベルアップさせることにつながるのです。

▼「遊び」から教養を深める

旅行先で鑑賞したオペラが教養を深めるきっかけに（ロンドン、ロイヤルオペラハウス）

仕事の勉強とは対照的に、教養の勉強は、意外と「オフ」のときに始まることが多いという特徴があります。

私の場合、旅行先のニューヨークで観たのをきっかけに、オペラに関心を持つようになりました。オペラの知識はほとんど皆無でしたが、ドニゼッティが作曲した『ルチア』（1835年初演）を目の当たりにして、すっかり虜（とりこ）になりました。

日本人はあまりオペラを観る習慣がないかもしれませんが、海外の旅行先で劇場に足を運んだ体験をお持ちの方もいることでしょう。そういうチャンスを起点に、オペラに傾倒してみるのはいかがでしょうか。

オペラはストーリーと音楽によって成り立つ芸術ですが、あらかじめ「あらすじ」を知っておけば理解がぐっと深まります。

もちろん、劇場の字幕を読めば歌詞の内容が分かるのも確かですが、それでは舞台に対する集中が薄れてしまい、十分に堪能できません。そこで、前もって本やインターネットでこれから鑑賞するオペラの概要をつかんでおくと、面白さが格段に増します。

オペラの勉強を掘り下げていけば、ヨーロッパの歴史的な社会背景や音楽史までつかめます。オペラに興味を持つことで、まさに奥深い「教養」の勉強が始まるというわけです。

そのほかにも、私は教養として「登山の医学」を勉強しています。というのも、私は火山学者として山に登る機会が少なくありません。特に富士山に登ったときには、さすが日本一の標高を誇るだけに、肉体的にも大変つらい思いをしました。

そんな経験もあり、登山時の筋肉の使い方や水分補給のタイミング、あるいは呼吸の仕方といった医学的なことを自分なりに研究してみたのです。

「登山の医学」は、普段の生活の中で、どうやって自分のコンディションを整えるかという問題に直結しています。登山家は、日常から自らのコンディションづくりに細心の注意を払っています。

暴飲暴食を控えるのはもちろん、足腰を弱らせない工夫を怠らないのです。私も「登山の医学」を学ぶことで、普段の生活でコンディションづくりを意識するようになったというわけです。

また、火山に関連した勉強として、私は各地の温泉をめぐるのを楽しみの一つにしています。温泉もただ入るだけではなく、泉質や温泉地の歴史などにも興味を向けると、教養の幅がぐっと深まります。

文豪が温泉宿に投宿しながら執筆した作品を読んだり、文学碑を訪ね歩くのをテーマにするのも面白いのではないでしょうか。

このように教養の世界には、さまざまな「入口」が開かれています。興味を持ったことを突破口に一つのテーマを追究していくと、どんなことであれ、専門家として誇るに足りるレベルにまで達することができるのです。

▼最初のハードルはできるだけ低く設定

さて、ここまで戦略的な勉強のコツを述べてきましたが、勉強を成果に結びつけるには才能のあるなしが大きな要素になっていると考えている人も多いのではないでしょうか。

そもそも「才能がある」とはどういうことでしょうか。

才能とは、生まれ持った特別な能力を意味するわけではありません。才能は、日々コツコツと努力することから生まれるのです。

努力を続けていると、あるとき一気に能力が開花します。その輝きを目にした他人によって、「才能がある」と評されるわけです。

簡単に「努力」と書きましたが、最も困難なのは「努力すること」そのものです。

実は「努力すること」がきちんとできるようになれば、たいていのことは成就（じょうじゅ）するのです。

したがって「努力が継続するシステム」の構築が、成果を得るためにはたいへん有

意義な戦略となるのです。このことを、およそ2500年前にできた『論語』では、「下学上達（かがくじょうたつ）」という言葉であらわしています（憲問編三七）。下の地位でしっかりと学んで、いずれ上の地位に達するという意味です。

大事なポイントは、**自分の感情や日常の気分に左右されずに努力を継続できるか、ということ**です。

誰でも調子の良いときに努力することは、それほどむずかしいことではありません。しかし、どんな状況になっても目的に向かって行動できるかというと、甚（はなは）だあやしいといった人がほとんどでしょう。

ここでは根性論を振りかざすのではなく、テクニックとして努力が続けられるうまい方法を考えてみたいと思います。**単純そうに見える「努力すること」にも、きちんとした「方策」があるのです。**

たとえば、フルマラソンを走るトレーニングとして、闇雲（やみくも）にダッシュだけを繰り返しても仕方ありません。物事にはすべて段階があります。

最初は軽いジョギングから心肺機能を高める、もしくはウォーキングによってフォームを固める作業が必要でしょう。何を学ぶにしても少しずつハードルを上げていくのが賢い方法です。

これについて、ラジオ番組の「全国こども電話相談室」で元オリンピックマラソンランナーの増田明美さんとご一緒したときに、興味深いお話を聴きました。縄跳びを長時間跳べるようになりたいと相談した小学生に、彼女はジョギングから始めるように勧めました。足の筋力をつけるのが先で、縄跳び自体の技術はあとまわしで良いというのです。

プロのランナーの明快な説明は、非常に納得のいくものでした。また、この段階では特に靴にこだわる必要はない、ともアドバイスされていました。最初から道具が気になる私にも、物事には順序があるものだと大変参考になりました。

▼イチローは「小さな満足」の積み重ねでヒットを量産

「努力する」ためには、それなりのモチベーションが要ります。まず努力したいと思うような仕掛けが必要です。低いレベルから少しずつ達成感を得ることで、このモチベーションを持続させることができます。

一流と呼ばれている人は、何か途方もない目標を達成するまで満足しないという、ストイックな姿勢の持ち主だと思っていませんか？

実は違うのです。本当は、彼らは「先に満足している」のです。その満足が目標達成を次々と呼び込むのです。

テレビのインタビューで、イチロー選手も小さな満足を積み重ねていると聞きました。イチロー選手は「1試合終わって良いヒットが打てたら、まずそれで満足する」というのです。これには私も非常に驚きました。

1回1回きちんと満足することが大事であり、満足することで次の目標が見えてきます。一つずつ満足して初めて「もっとこうしたい」という欲が生まれてくるのです。

この満足が新たな努力を生み出します。小さな現場で「小さな満足」を上手に得ることで、努力がそんなに億劫（おっくう）ではなくなります。最初の努力は次の努力を呼び込み、次の努力はもっと大きな満足を呼び込みます。こうした「好サイクル」を作ることが大事なポイントです。

本を読むのが苦手ならば、やさしそうな内容の本から手に取ってみましょう。1冊読み通せば、それなりの達成感が得られます。最初から分厚い本に手を出す必要はありません。実際、薄い本を読み重ねるうちに、知らず知らず読書力が備わってきます。そのうち意識しなくても、もっと厚い本を手に取りたくなってくるはずです。

社会人として同じ仕事を長く続けていると、いつしか明確な満足を得る機会が少なくなってきます。惰性やマンネリで仕事を続けている人も多いことでしょう。しかし、ほんのちょっとしたことでも、新しいことに挑戦してみてほしいと思います。

意識すれば、努力することの「ここちよさ」に目覚め、必ず達成感が味わえます。ハードルを越える作業を繰り返すことで、いつの間にか目標としていた地点に到達できるのです。ぜひ「努力すること」のすばらしさを味わっていただきたいと思います。

第2章 勉強の時間を作り出すテクニック

散歩からもたくさんのことが学べる（大阪・淀屋橋にて）

▼「締め切り効果」で時間の流れを制御する

限りある時間の中で人生が成立している以上、勉強も時間の使い方に大きく規定されます。歳を重ねるにつれ、時間の流れはどんどん加速し、1か月や1年などあっという間に過ぎていきます。油断も隙(すき)もありません。

重要なのは、今生きている時間を自分のものにしているかどうかです。だらだらとスマホで動画を見たり、SNSやネット記事をスクロールしている間に消える時間は、とうてい有効とは言い難いものです。逆に、どんなに残業の多い日々でも、使い方次第では時間を自分の手中に収めることができます。

あらためて時間の使い方を見つめ直してみましょう。まずは自分の時間を、A「自由裁量できる時間」と、B「他人に従っている時間」に区別してみましょう。

Bの「他人に従っている時間」というのは、定例会議や、ミスによるクレーム応対の時間など、受動的に過ごさざるを得ない時間です。時間の使い方としては、できるだけBを減らしてAの領域を増やすことが戦略として重要となります。

図2　4つの事象で時間を分類してみよう

	緊急度が高い	緊急度が低い
重要度が高い	優先的に時間を配分する	いつやるかの予定を前もって決めておく
重要度が低い	空き時間を見つけて手早く処理する	緊急度が高まるまで保留しておく

ここで頭を使うのです。冷静に判断して、やらなくても済む仕事は「やめる」ことから始めましょう。

何でもかんでも、仕事を自分一人で抱え込んでしまう人がいます。結局は自分がやった方が速い、と思うからそうしているのでしょう。

しかし、仕事を抱え込んだ分だけ余裕がなくなり、ミスの可能性も高まります。可能であるならば、同僚や部下・後輩に一任できる仕事は、思い切って託すのも手です。

いま簡単に時間を分類する方法を提案してみましょう。緊急度の高低、重要度の高低を横軸と縦軸に入れて、四つの事象で時間を分類する方法です（図2）。あなたが日々過ごしている時間はどこに入るでしょうか？

ここで、分類された時間に、優劣をつけてゆきます。そして「緊急度が高く、重要度も高い」ものを対象に、時間を優先的に配分するのです。これと反対に、「緊急度が低く、重要度も低い」対象に注ぐ時間を、意識して排除するというわけです。

こうして取り組むべき仕事の価値を整理した上で、仕事のスピードアップを意識してください。たとえば、ビジネスパーソンにおいては、何をおいても「残業を減らすこと」です。

残業に頼りきっていると、目の前の仕事ばかり考えるようになってしまいます。あとでやればなんとかなるだろうと思っていると、時間はみるみる消滅してゆきます。次第に自分のための勉強をする余裕を失い、将来に目を向けなくなってしまうのです。

第一線で活躍する多くの経営者が、すべての仕事に締切（デッドライン）を入れることの効用を説いています。

たとえば、トリンプの社長であった吉越浩一郎氏は、締切が仕事の効率をアップするという信念のもと、会社の残業を原則として禁止したといいます。また、残業禁止を徹底させるために、終業時間にオフィス内の照明が落ちるシステムを作ったり、残業に対する罰金制度を設けることまでしました。

これによって、社員は終業時間までに何としてでも仕事を終わらせざるを得なくなり、仕事のスピードがアップしたというのです。かなり思いきった仕方ですが、これくらいしないと人間の習慣を変えることはできないのでしょう。

▼「時間のワク」を意識すると行動が劇的に変わる

時間のワクが人間の「行動」を変えていく。そのことを、私はテレビやラジオの番組収録で学びました。

放送の世界では、決まった放送時間というワクの中で情報を伝えています。アナウンサーやディレクターは、分単位はもちろんのこと、秒単位で時間を仕切る能力が試される職業です。

実際に私が火山学の解説者としてテレビの生番組に出演したときも、秒単位の時間進行でした。コマーシャルに入るたびに、「5、4、3、2、1」といった合図がスタッフから送られ、司会者がそれに合わせて上手に話をまとめるのです。1秒も無駄にしないその技術には、ただただ感心するばかりでした。

さて、そんな私にもラジオ番組の「全国こども電話相談室」で、しめくくりにコメントするというチャンスが与えられました。先生から子どもたちへのメッセージを25秒でお願いします、というのです。

考えてみれば、私はさまざまなところで話す機会はあっても、秒単位のワクの中でコメントをまとめるのは、初めての経験です。勘を頼りに挑戦してみたところ、30秒以上かかってしまい、規定の時間で終えることができませんでした。

そこで意欲を燃やした私は、スタッフに「すみません。もう1回やらせてください」とお願いしました。

さっきより短く的確に、と意識してコメントをまとめ直したところ、何と25秒ピッタリで終わったのです。このテイク2には思いがけない達成感がありました。

この経験で、私は「練習さえすれば、25秒で必ずまとめられる」と実感しました。思い切ってチャレンジすれば見返りがくる、という成功体験の一つです。

これはどのような仕事でも応用できるスキルではないかと思います。

一度ストップウォッチを使って、1時間で、あるいは15分でこの仕事を終わらせる、と決めて取り組んでみてはいかがでしょうか。

時間を意識すると、とたんに集中力が増したり、いつもよりスピードアップするという効果がきっとあらわれるはずです。

時間の管理という点では、学生たちにいつも注意を促していることがあります。それはインターネットに費やす時間についてです。

ネット検索は、あらゆる作業の中でも時間を食う最大の「魔物」です。非常に便利な反面、漫然と検索を続けていると、あっという間に1時間が過ぎてしまったという経験は、誰もが思い当たるのではないでしょうか。

したがって、ここでもスマホのタイマー機能を使ったり、キッチンタイマーを活用してみるのです。

たとえば、この項目については15分以内で調べる、とあらかじめこまぎれの締め切りを設定してしまうのです。実際にやってみるとわかることですが、15分検索して見つからないものは、ほとんどの場合1時間検索しても見つからないものです。

こうした工夫次第で、限られた時間が自分のものへと転化していきます。まずは、時間のワクを意識すること、です。それによって、腰をすえて勉強に取り組む態勢ができるのです。

ここを読んだ方は、ただちにスマホのタイマー機能もしくは一番便利な時間管理のアプリを使って、これを試していただきたいと思います。

▼勉強中は徹底的に引きこもる

寝る間も惜しんで勉強に没頭する、と言えば聞こえはいいでしょうが、残業で疲れた体にムチを打って机にしがみつくのは自殺行為です。第一長続きしません。

ただし、ある程度の時間を確保しないと、人に認めてもらえるだけの成果を残せないのも事実。英語をマスターしたり、資格試験に合格するためにも、まとまった時間が必要です。では、いったいどのくらいの時間を勉強のために確保できるものでしょうか。

過去にもさまざまな人物が時間の作り方を研究しています。伊藤忠商事の三輪裕範（みわやすのり）氏は、平日の各1時間プラス土日に各3時間勉強する「年間600時間」方式を勧め

ています。

精神科医の和田秀樹氏は勉強法に関する著作の中で、平日は1コマ90分単位で3時間を限度に勉強し、土曜日は時間上の借金返済にあて、日曜日は休みを取るように勧めています。反対に、平日は勉強をせずに、週末に集中するやり方もあります。

いずれをとるにせよ、時間のカギを握るのはあくまでも自分です。先人たちの方法を参考にしながら、目標達成に割り当てる時間割を作成しましょう。

ポイントは、決めた勉強時間内は勉強に集中するということです。あれこれ余計なことを思わずに、とにかく勉強のことだけ考える。当たり前と思われるかもしれませ

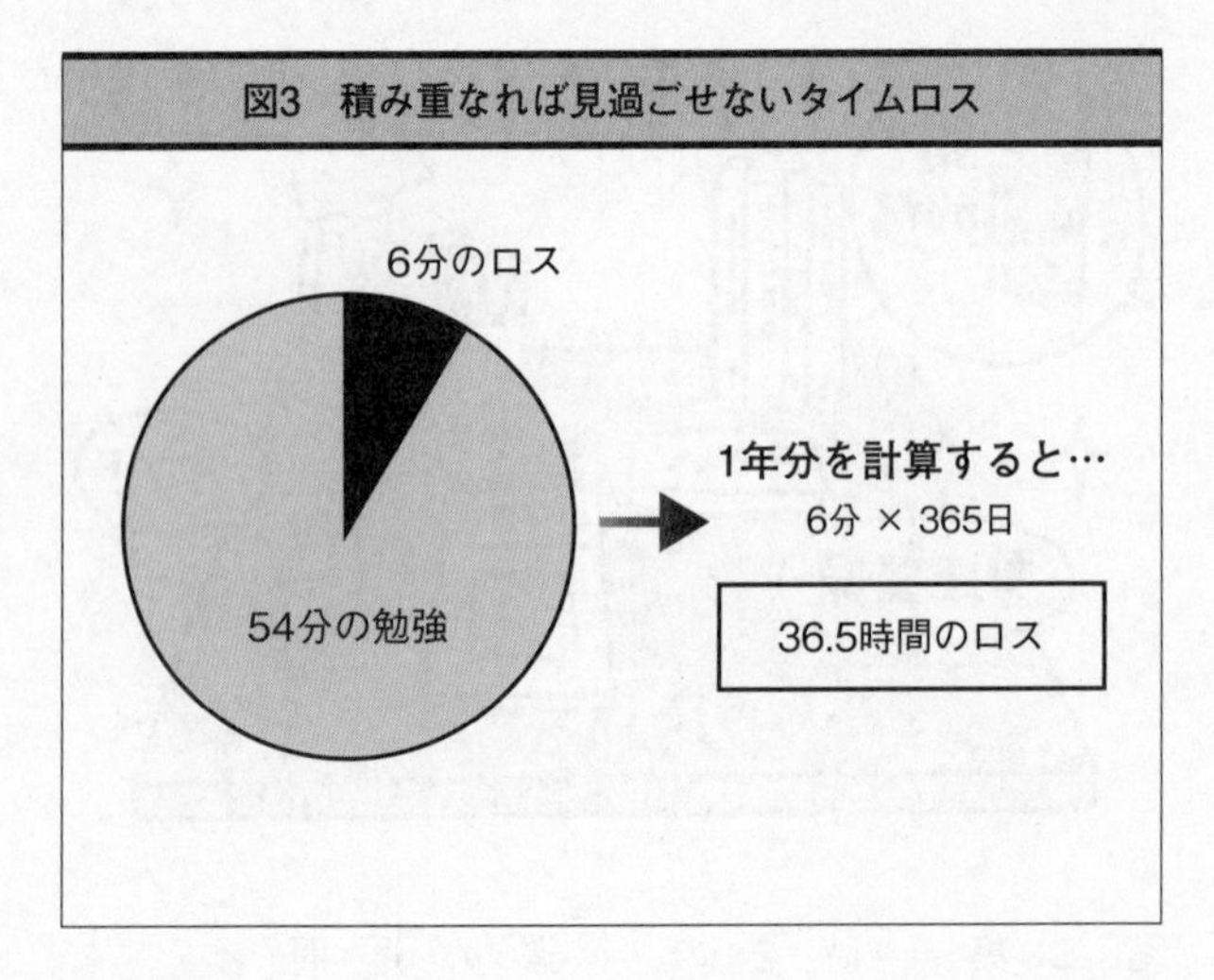

んが、意外にできていないことが多いのです。

机の上が乱雑になっていたりすると、ちょっと片付けて、本やノートを開いて……といった動作をしている間に、5分や10分はあっという間にすぎてしまいます。1時間の1割にあたる6分としても、積み重なれば見過ごせないタイムロスです（図3）。

パソコンで作業をするのであれば、起動してすぐに必要なデータが取り出せるように整理しておく。資格試験の問題集であれば、机の上に置いてすぐに問題に取りかかれる状態にする。

そういった事前のセットアップをお

ろそかにしないことです。

また、勉強の時間を邪魔されないために、物理的にまわりを「遮断」することも大切です。

朝出勤前の1時間を勉強にあてるとしましょう。その場合、1時間は家の固定電話や携帯電話、インターネットもすべてオフにしてしまうのです。

1時間くらいなら外界と連絡が取れなくても、ほとんど問題はないはずです。むしろネットやメールに吸収されていた時間がいかに貴重だったかを、思い知らされるでしょう。

実際、ネットにつながらず、ワープロ機能だけに特化したデバイスがヒットしているというのも、こういう需要があるからかもしれません。たとえば、「ポメラ」（キングジムが製造販売するデジタルメモ）などがあるので、自分にとって使いやすい物を探してみてください。

さらに、書斎があれば中から鍵をかけたり、家族にはその1時間は声を掛けないようにお願いするのです。それくらいの覚悟で臨むことで、勉強時間を予定通り確保できます。やってみると拍子抜けするくらい、自分の時間は作れるものなのです。

▼仕事の中に勉強時間を組み込むという発想

第1章で述べたこととも関連しますが、勉強時間を増やすために、与えられた仕事の中に自分の勉強時間を組み込む努力を試みましょう。会社の仕事は与えられたものですが、そこに自分なりの勉強ポイントを作ってしまうという戦術です。

私は、自分の受け持つ講義をより良いものにするため、「話し方」や「スピーチ」の本をずいぶん買い込んで研究した経験があります。

中でも非常に役立ったのは、「冠婚葬祭のスピーチは3分でまとめろ」と指南する解説書でした。大学の講義でも会社のスピーチでも、原理はまったく同じなのです。15分続けて話すときには、小さな3分の話を5本に分けて話す。そうすることで、聞き手の興味も持続する効果があります。

話の構成だけでなく、話すときの視線や表情、スピードや身振り手振りなどといったフィジカルなテクニックについても、スピーチ本から多くを学びました。

また講義の技術に関しては、教科教授法、あるいは大学教授法という分野の解説書もあります。

そこで紹介されているのは、板書の仕方、パワーポイントやビデオの見せ方、レポート課題の出し方、採点の仕方、カリキュラムの作り方、シラバスの作り方などの基本的な技術です。加えて、ジョークの入れ方、目線の向け方、発声法などといった、人に物を伝えるときに重要なテクニックもあります。

教科教授法というのは、そもそもアメリカの大学で発展した分野ですが、元をたどればビジネス上の技法から派生したものです。私にとっては、教科教授法を学ぶことにより、さまざまなビジネスにも通用する技術が身についたというわけです。

自分の仕事を分解してみると、違う分野から学ぶ点がたくさんあるのに気付きます。講義は教員として「与えられた仕事」ではありますが、自分なりに追究して学んでいくことで、自分の中の何らかの能力をどんどん太らせることも可能になるのです。

▼ギブアンドギブの人間関係が時間を創り出す

勉強を継続させる上で大事なことがもう一つあります。それは、どの時間帯を使ったらよいのかという問題です。社会人の場合、大まかに言って、勉強タイムは勤務時間の前か後かに分類できると思います。

たとえば、夜にセミナーに参加したり自宅で勉強したりするような場合、一人だけ先に会社を出づらい職場もあるでしょう。確かに、働き方改革が進んで帰宅時間を早めることが推奨される流れにはなってきていますが、「自分の勉強をするのでお先に失礼します」と言ったら、目の前の業務に集中している同僚たちから白い目で見られることもあるかもしれません。

したがって夜型の人は、まず周りの人と良い人間関係を作ることが先決です。たとえば、同僚が長期休暇を取るときに、仕事を肩代わりしてあげたり、率先して雑用を引き受けたりするのです。最初は「ギブアンドテイク」ではなく、「ギブアンドギブ」の状態が続くかもしれませんが、それがあとで有効になってきます。テイクするためには、その前に必ずギブが必要なのです。ギブを意識したコミュニケーションを繰り返すことによって、しだいに人間関係が良好なものへと変わってきます。

それと並行して、自分がなぜ勉強しているのかを伝える努力も試みます。すなわち、あらゆる機会をとらえて周囲の人に自分の生き方や生活のスタイルをわかってもらうのです。本当は、効率よく業務を終え自分のために時間を使えることこそが「デキる人」のふるまいなのですが、同時に人間関係への手当も大切な仕事なのです。

一方、どうしても帰宅時間が一定しなかったり、仕事上の酒席が頻繁にある場合などは、朝型に切り替えた方が得策かもしれません。夜半にネットサーフィンに耽（ふけ）ったり、ニュース番組を見続ける時間があるなら、できるだけ早く就寝することをお勧めします。翌朝に1時間でよいから早く起きて、すっきりした頭で勉強した方が効率が上がります。

▼自分のゴールデンタイムは絶対死守する

いずれにせよ、自分にとって一番頭の働く時間帯を知ることがポイントです。その時間に、もっとも頭を使う勉強を先にしてください。同じ1時間でも頭が冴（さ）えているか否かで、著しく効果が異なるからです。

ちなみに、私はどちらかというと朝型です。ただ、絶対に決まった時間に必ず机に向かうというわけではありません。同じ時間に起床して、同じ時間に机に向かうのは立派なことではありますが、ときには例外があってもかまわないと思うのです。

かつて京都大学で教授をしていた数学者の森毅（もりつよし）さんが、「私には不規則という規則性がある」とおっしゃったのを耳にしたことがあります。森さんは京大でも屈指の名物教授でしたが、たいへんユニークな見方ではないでしょうか。

たしかに森さんの生活はかなり不規則だったそうですが、不規則な方がかえって体調も良くなると言います。おそらく彼のような人が、必ず毎朝7時から机に向かおうとしても、あまり良い結果は得られなかったでしょう。

つまり、逆説的ですが、不規則は不規則で大切な規則なのです。実際に芸能人は不規則な生活をしていますが、不規則なハードスケジュールを楽しめる人が芸能界で生き残っているとよく聞きます。

ただし、不規則と怠慢は全く違います。規則というのは日常の自分を律するには良いことであって、それをたまに破るところに快感が生じます。

しかし、規則がなくて最初から不規則というのでは、ただの怠惰にしか過ぎません。

著名な芸能人はみな不規則な生活をしていますが、決して怠惰ではありません。テレビ番組で何回かご一緒したビートたけしさんは、不規則な生活の王者でしたが、きわめて勤勉で誠実な方でした。

まずは規則を作り、基本的には規則にしたがって勉強する。その上で、たまには規則を破る楽しみを感じること。

私などは、この破る快感のために、普段はせめて勤勉でいようと思っています。それが勉強を長続きさせるためのテクニックということです。

▼昼休みに中途半端に過ごすのは最悪

休憩時間の取り方で、もっとも改善の余地があるのは、昼休みを有意義に過ごすかどうかでしょう。実は、昼休みは隠れた「資源」なのです。

昼休みを勉強にあてるのは、オーソドックスな一つの方法です。普段は、職場の同僚とランチを取る人も多いでしょう。この場合、混雑した店で順番を待っているだけで15分や20分はあっという間に過ぎてしまうものです。そして食べ終わって自席に戻れば、すぐに午後の仕事を始動しなければなりません。

それならば、あらかじめ弁当を用意することで、食後の時間を自分の勉強に有効活用できるというわけです。たとえ1日30分でも、積み重ねれば決して侮（あなど）れない勉強量になります。

また、昼食の時間そのものを勉強時間に変えてしまう方法もあります。

政治家や大企業の役員は、朝食や昼食を兼ねて、勉強会や各種の会議を行っていることがよく知られています。食事会では、情報収集ができ、人間関係を作ることができ、なおかつ決まった時間に食事もできるからです。なかなか合理的なシステムなのです。

これを応用して、昼食時に会社の同僚と勉強会を行ってみるのも一つの方法です。私が米国の国立研究所に留学していたときには、ランチの時間には必ず火山学のセミナーを行っていました。

もちろん社外の人とランチを取るのも、勉強の一環と言えるでしょう。ランチは毎回別の人と取る、を目標にしているビジネスパーソンも少なくありません。

▼仮眠、ウォーキング、書店ウォッチ……短時間活用法いろいろ

　アグレッシブに活動することだけが昼休みの有意義な過ごし方とは限りません。私の場合、食後の1時間くらいは頭の回転がにぶるような気がしています。ですから昼食後には少し睡眠を取ることもあります。

　食後に睡眠を取るのは、フィールドワークの経験からの影響です。火山のフィールドワークの現場では、朝8時くらいから日が暮れるまで歩き続けるのが一般的です。そんなとき、昼食を取ったあとに20分から30分地面の上で横になって一休みすることで、頭と体の疲れを回復させる効果があります。

　会社では、オフィスの机の上にうつぶせで20分寝るだけでも、脳の疲れは回復します。デスクワークの場合、椅子に座り続けると背骨や腰に負担がかかります。特にパソコンのディスプレイを長時間眺めていると、眼も疲労してしまいます。

　そこで、アイマスクをしてスマホで好きな音楽を聴きながら、頭と眼を休めてあげることも大切です。考えてみれば、脳味噌も肉体の一部です。頭を存分に働かせるた

めには、体のすべてのコンディションを保つことが不可欠なのです。

天気の良い日には、外に出てウォーキングするのも悪くありません。30分も歩けばかなりの運動量になりますし、気分転換にもなるでしょう。太陽の光を浴びたり、外気に触れて季節を感じると気分がリフレッシュします。

職場の近所に書店があれば、毎日一通り覗(のぞ)いてみるのも良いでしょう。書棚を定点観測していれば、売れ筋の傾向が読めます。数ある雑誌の旬のテーマを、見出しを眺めながら摑(つか)むことも簡単です。仕事から離れて、自分の趣味の領域の雑誌をパラパラめくるのも、とても良いオフの時間です。後の第4章で述べる「マニアック書店」を巡回してみるのも良いかもしれません(157ページ)。

ここで覚えておいてほしいのは、仕事には「オン」と「オフ」があることです。どんな才人でも、24時間緊張を保つことはできません。集中するためには、弛緩(しかん)する時間も不可欠なのです。両者を使い分けることから戦略的な時間の使い方が始まります。

したがって、昼食時に勉強する場合にも、どこで弛緩するかというポイントをあらかじめ想定しておく必要があるということです。

とにかく最悪なのは、中途半端に勉強したり、休んだりすることです。勉強するか、体を休めるか、趣味を楽しむのか。それを先に決めてしまいましょう。私の場合、昼休みの時間は、教養、趣味、勉強の順に重きを置いていますが、これはその日のコンディションで決めれば良いのです。

いずれにせよ、せっかくのまとまった時間なのですから、オンかオフかのどちらかにしぼって行動するように心がけましょう。

▼通勤時間を最大限に活かす読書術

通勤時間や出張などの移動時間をどう過ごすかも、大切な項目です。現代のビジネスパーソンにとって、通勤と出張に費やす時間はバカにならないほど大きくなっています。

ここで戦略を持って臨むかどうかで、仕事の効率が格段に変わってきます。実は、ここは誰にも邪魔されない自分だけの時間でもあるので、勉強にはもってこいなのです。

まず、通勤時間や移動時間には、本を読むのがベストです。特に、電車に座って通

勤できる人は恵まれた環境にあると言えます。一定の読書の時間が毎朝確保できるからです。

読書の達人は、電車の中で立ちながら本を読んでいます。ちょうど手頃な薄い文庫本ならば、数日で読み終えることもできます。散歩しながら読書をしている人も見かけるくらいですから、つり革につかまりながらでも読書は可能です。

むしろ、電車で揺られながら読む方が、本の内容がよく頭に入るという友人もいました。席に座れなければ本が読めないなどと杓子定規(しゃくしじょうぎ)には考えずに、どこでもいつでもスキマ時間に活字に親しみたいものです。

文庫本と新書など、2冊持ち合わせてい

れば、読み切って手持ちぶさたになることもありません。一方に興が乗らないときは、もう片方に切り替えることもできます。

また、電子書籍もだいぶ普及してきましたので、読書の手段として有効です。電子書籍の最大のメリットは、読みたい本をその場で購入し、すぐに読むことができる点でしょう。

というのは、実物の書籍を購入しようと待っている間に、勉強の熱が冷めてしまうことがあるからです。だから思い立った瞬間に電子書籍を即購入し、すぐに勉強を始めることが大変重要となるのです。

さらに、本の中身はサンプルを読むことで、おおよそを把握できます。たとえば、目次を見れば全体の構成がわかり、最初の数ページをブラウズすれば、著者の書き方（文章のテイスト）を知ることができます。読書では著者と「ウマが合う」ことが何より大切なので、こうしたチェックは非常に大切です。

また、奥付（おくづけ）（本の末尾に著者・書名・発行者・発行日などを記した部分）には著者のプロフィールやこれまで刊行した著書名が記してあることがあります。こうした情報も勉強をスタートする際には役に立つでしょう。

ちなみに、電子書籍の中には、注文から1週間以内に返品が可能なものもあります。ただし、販売側で本をどこまで読んだかは追跡可能なので、全部を読んだあとで返品しようとしても受け付けてくれないそうです。

このように、電子書籍に特有のメリットを知っておくことで、実物書籍とは異なる勉強法を持つことが可能になります。ここでのポイントは、どちらが良いかではなく、両者を併用して自分に合った方法を確立する（すなわち「カスタマイズ」する）ことです。

▼通勤電車を英語塾にするには？

英語の勉強も、移動時間の重要な勉強のオプションと言えるでしょう。英語は何と言っても、長時間ヒアリングしなければ上達が望めません。聴き続けることによって英語の構文や単語も定着します。

スマホを持ち歩いて音声を聞く習慣をつければ、効率的な勉強を図ることができます。通勤時間のヒアリングは、英語に慣れる意味でももっとも無理がない方法です。

昨今、よりコンパクトで強力なメディアが続々と登場しています。ちなみに、本書では基本的な考え方（プリンシプル）を伝えますので、実際の道具に関してはぜひ読者の皆さんでアップデートをお願いします。

一方、まったく道具がなくても電車内で英語の勉強は可能なのです。

それは、車内で「シャドースピーキング」（shadow speaking）をするという方法です。どういうものかというと、車窓に流れる風景をそのまま一つずつ英語に訳していくという訓練です。

たとえば、車が併走しているのが見えたならその模様を、ビル内に人影が見えたならその状況を、英語で実況解説していくのです。

英訳の対象は、もちろん車窓の風景でなくても構いません。車内に立つ男性がいたとしましょう。そうしたら、その男性が○○線に乗って出勤する、というところから男性の記述を始めます。その先はあくまで想像ですが、○○業界の○○社に勤務し、今日は会議と来客の予定があって、仕事帰りにはフィットネスクラブで汗を流す、というところまで英作文してみるのです。

あるいは車内の広告を英訳してみるのもいいでしょう。週刊誌の広告文があれば、それを忠実に英訳してみます。

シャドースピーキングは30分も続けていれば、頭がへとへとになります。それとともに、頭の中で使わずに眠っていた英単語を呼び起こすことになり、みるみる英訳の力がついてきます。もしどうしても思い浮かばなければ、スマホの和英辞典で引けばよいのです。このように通勤時間には打ってつけの勉強法なのです。

▼時間管理を「一望する」手帳術

本や雑誌の特集では、じつに多くの識者が手帳の使い方に言及しています。手帳とその人の戦略が不可分に結びついていることの表れでしょう。もちろん勉強を効率的に進める上でも、手帳は大きな役割を果たすアイテムです。

プライベートと仕事で手帳を使い分ける向きもあるかもしれませんが、私はすべてを1冊にまとめる方式を採っています。「教授会と講義のスケジュール」であれ、「遊びの予定」であれ、「原稿の締め切り」であれ、同じ手帳に全スケジュールを書き込むのです。

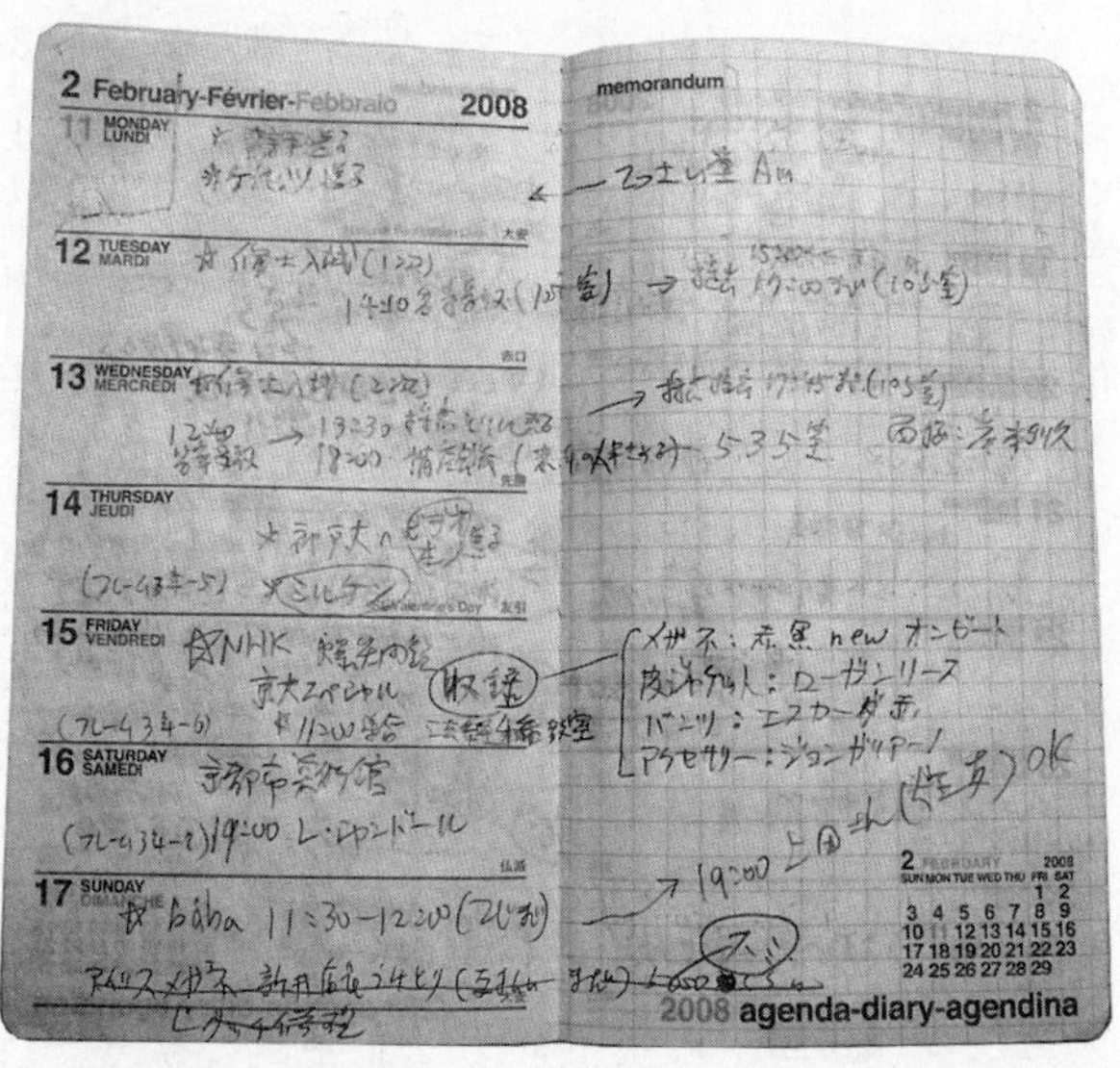

手帳には仕事も遊びも勉強も、すべてのスケジュールを書き込む

もちろん、Google カレンダーなどのカレンダーアプリを活用するのもよいですが、私はこの古典的な方法を現在でも変えていません。その最大の理由は、私の専門に関わることでもあります。

最近、地震や噴火や豪雨のために電気の供給が大規模にストップする事態が起きています。地震と噴火については、日本列島が「大地変動の時代」に突入し、これから巨大地震の発生をひかえています。

具体的には、２０３０〜

2040年頃に起きることが確実視されている「南海トラフ巨大地震」ですが、これが起きると大規模な停電が何日も続きます。この時にクラウドを利用したカレンダーなどは全く使えなくなります。そもそも電源が途絶えるので、スマホもパソコンも長期間にわたり使えないわけです。

よって、地球科学者の私は、日本がどのような状況になっても最低限の仕事が可能なように、デジタルとアナログを併用しています。これが「想定外に強い」暮らし方ではないかと思います。

なお、喫緊の自然災害である南海トラフ巨大地震、首都直下地震、富士山噴火については、『日本の地下で何が起きているのか』(岩波科学ライブラリー)を参考にしてください。勉強する基盤には命の安全があるからです。

さて、手帳の使い方に話を戻しましょう。手帳には同様に「勉強計画」も記入します。時間管理は勉強を円滑に進めるきわめて大事な要素なので、手帳ですべてを一望します。すなわち、一望のもとで全てを管理する「一望法」と呼ぶテクニックの活用です。

すべてを一元化することで、ダブルブッキングのリスクを防ぐというメリットがあります。

スマホやパソコンでスケジュールを管理する方法は、情報を読むのにかえって時間がかかって一望できないことに私は気付きました。さらに、スマホを落として壊れたり水につけたりしてデータが消えるのではないかという恐れも、少なからずストレスになりました。

その反対に、紙の手帳に鉛筆書きしていれば、水にぬれても電源が止まってもデータを失うことはありません。汚れても書き写せばいいだけです。というわけで手帳に関してはいろいろと試してみた結果、アナログ方式を採用しています。

もちろん、既にデジタルのスケジュール管理に慣れた人はそのままで構いません。

一方、私のようにクリエイティブな発想をアナログ上で行うタイプの人間は、どうやら紙の手帳を手でめくることで、ある種の「ひらめき」が生まれるようなのです。

色々と試行錯誤した結果、現在は、見開きの2ページに1週間のスケジュールが書き込めるタイプの手帳を愛用しています。というのは、見開きに1か月分を書き込むカレンダー・タイプでは、紙面が不足してしまうからです。

なお、私のように仕事も遊びも勉強もアナログで記入しようという場合には、最初から十分なスペースがあるゆったりめの手帳を選ぶことをお勧めします。

▼ありとあらゆることを書き留めよう

実は手帳術のコツは、判明した時点ですべての予定を記入することなのです。

たとえば、5月3日からムンク展が開催されるというのを新聞で読んだなら、とりあえず手帳に書き留めておくのです。手帳に書けば、何とかしてこの期間中に展覧会に行きたいという意識が働くようになります。

手帳に展覧会のスケジュールを記憶させておけば、ちょっと時間があくことがわかったときに、「この日に行こう!」という段取りをつけることもできます。親しくなりたい人とのきっかけに、この展覧会を使うこともできます。

最もよくないのは、自分の頭だけで覚えておく方法です。頭で覚えようとしても、必ず漏れがあります。私のように1日何件もスケジュールが入っていると、とても覚えきれるものではありません。

だから大事なことは手帳に記憶させるのが、いちばん効率的なのです。手帳に予定を覚え込ませることで、時間のみならず自分の頭をより有意義に活用できるようになります。

私自身、新幹線の時間も、会議の予定も、友人と会う約束も、勉強の予定も、買いたい本のタイトルも、レストランの電話番号も、とにかく何でも手帳に書き込んでおきます。

朝、手帳を開けば、今日、あるいは今週何をすべきかが一目瞭然です。いわば手帳が秘書代わりというわけです。いちいち予定を覚えておく必要はまったくありません。じっさい、書き込んだ予定を忘れていることがほとんどなのです。

余談ですが、私は手帳に講義のときに着る洋服のラインナップを記入しています。講義が15回あるとして、15回分のファッションをあらかじめ決定しておくのです。毎回違った服を着ていくと、学生に与えるインパクトも違います。イタリア系であったりフランス系であったり、あるいはジーンズや和服のこともあります。講義に興味を持ってもらう「つかみ」として衣裳（いしょう）を活用しているのですが、これも手帳が記憶してくれます。

前日、あるいは当日になって手帳を開けばすべて問題なし、です。ちなみに私の場合、手帳を開くタイミングは思いついたとき、つまり「随時」です。もちろん仕事の始まり（朝）と終わり（夜）には見ますが、気づいたときこまめにチェックすればドタキャンなど全くありません。

実は、「手帳に書き込む」ことは実践できても、「それを見返す（そして活用する）」ことは、別の段階の作業です。手帳を見返すタイミングこそ、各人が一番都合の良い時間帯に設定してみましょう。

そして手帳に書いてあるスケジュールだけは遅滞なくこなすようにすれば、何事にも迷わず、即行動に移せるようになります。そのため、どんなときでも、またどこへでも、必ずこの手帳は持ち歩いています。

▼楽しみの備忘録、達成メモとして常に見返す

手帳はスケジュール帳として使うだけでなく、日記として活用すると、とても便利です。簡単でもかまわないので、その日読んだ本、会った人、食事した店、入った温泉、出合った名言、チェックしたホームページなどを忘れないように記入するのです。

そして私は、**常に今年と去年の2年分の手帳を持ち歩く**ようにしています。そして、折に触れて、「昨年の○月○日に何をしていたか」というのを見直します。

なぜそうするかというと、**一つにはスケジュールの確認**があります。

来月、再来月の計画を立てるときに、1年前の手帳をチェックすれば、「1月の末には恒例の旅行会がある」「2月には入試がある」という具合に、重要事項を漏れなく押さえることができます。あらかじめダブルブッキングを回避しているというわけです。

二つ目が、季節ごとの楽しみの備忘録として、です。「そろそろ紅葉の時期だから」「新緑の時期だから」散策に出かけようという計画を、昨年の手帳をもとに立てるのです。「去年は蓮華寺に行ったから、今年は大徳寺にしようか」などと、去年の計画を思い出しながら今年のプランを練るのも楽しみの一つです。

そして**三つ目には、「達成メモ」活用のため**です。

「達成メモ」とは、先述したような、読んだ本や出かけた場所など、「何かを達成した」記録としての日記です。読書だけでなく、美術館に行った記録も、どこかに遊びに行った記録もすべて「達成メモ」として記入します。

図4　達成メモをもとに、新しいことにチャレンジする

昨年の達成メモ	→	これからの予定
経済の入門書を読了	読書	経済の専門書に挑戦
オペラDVD 1枚目鑑賞	芸術	オペラDVD 2枚目鑑賞
TOEFL 500点	資格	TOEFL 550点
東北の温泉	旅行	九州の温泉

前年の「達成メモ」を参照すれば、今年はまた別のことにチャレンジができます。こうしてマンネリを防ぐ効果があるのです。

使い終わった昨年の手帳をパラパラとめくっていると、「去年はこんな人と会っていたんだな」とか「去年はここまでやったけど、今年はこれをやってみよう」といった気付きがあるものです（図4）。

そうやって、「続きから始める」のが、2年分の手帳を見返すポイントなのです。

たとえば、モーツァルトのオペラ『魔笛』を観に行く前に予習しよう

と思って、DVD2枚セットを買い込んだとしましょう。そして1枚だけ鑑賞して、そのままになっている。こういう場合は、会場に出かけるまでに残りの1枚を観ておくという具合です。

資格試験の問題集でも趣味でも、ちょっとかじってそのまま放ったらかしにしているケースがあります。別に時間が開いてしまってもいいのです。せっかく1回はかじったのですから、続きからまた始めてみましょう。**経験を呼び水に勉強を続ける。これは「呼び水法」というテクニックです。**

手帳を見直すと、「これはやり足りないな」とか、「もうちょっとやったらモノになるのに」などと思ったりするものです。また、「そういえば、あの人にしばらく会っていないな」という具合に、会いたい人も思い出します。

だから、手帳には、達成したことだけではなく近い将来の希望もすべてメモしておきましょう。

旅行でも何でもよいのです。北海道を調査していて、「ここまで行ったけど、その先にまだ温泉が3軒ある」という場合は、その宿から旅行を再開する。そんな旅程を組むのも楽しみの一つでしょう。

　ところで、手帳はどのような物を使えばよいでしょうか。旧版の『一生モノの勉強法』が出た頃は、「クオバディス」や「モレスキン」といった海外製の手帳が人気を博していました。現在でも根強いファンがいるので紹介しておきましょう。

　モレスキンは日記の記述に重きを置く人におすすめの手帳です。本体を留めるゴムのバンドが特徴的で、このバンドがあることによって、ちょっとした紙片をはさみこめるというメリットが生じます。

　食事に行ったレストランのカードを当日のところにはさんでおくだけで、お店の情報を書き写さずとも済みます。使い込むうちに厚みが増していくのも、楽しみの一つです。

　一方クオバディスは、スケジュール管理に向いた手帳です。日付の下に、その日の最重要事項を書き込む仕組みになっています。

　年末や年度末が近づくと、書店や文具売り場では、手帳メーカー各社による工夫を凝らした手帳が、まさに百花繚乱（ひゃっかりょうらん）の趣で並べられています。

　その後、若い人たちが持つ紙製の手帳を見ていると、色々な物を使っていることに気づきました。それぞれ自分に思い入れのある手帳を選んでおり、まさに個性を発揮している姿が素敵です。

こうしてアナログ手帳に凝るのも、たいへんに良い趣味だと思います。なにしろ自分の人生スケジュールが細かく書き込まれる物なのですから、少しくらい奮発して上質な物に乗りかえてみてはいかがでしょうか。手触り、紙質、デザインなども考慮してお気に入りの1冊を選び抜くのも、勉強のモチベーションをアップする上でたいへん効果的です。

▼週末の予定は5項目から決め打ちする！

まとまった自由な時間として看過できないのが週末です。使い方いかんによって、大きく差がつくのがこの時間です。これを生かすも殺すもテクニック次第なのです。とはいえ、机にかじりついて勉強をするだけでは、自分の可能性を伸ばすことができません。

まずは、週末の時間全体の枠組みを、あらかじめ決定してしまいましょう。ここでは「枠組み法」という手法を用います。

図５　週末の予定は５項目に振り分ける

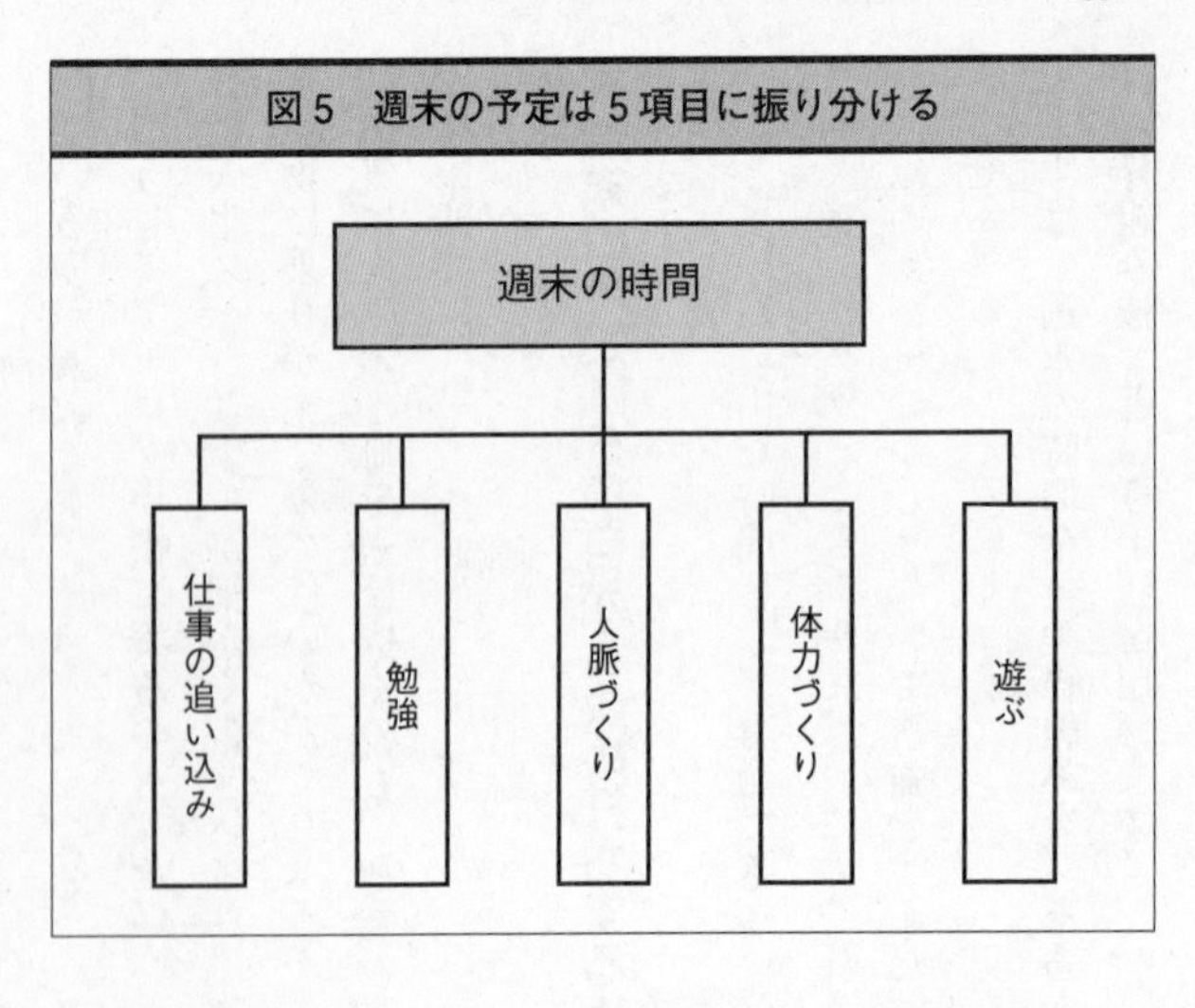

枠組みは、「遊ぶ」「体力づくり」「人脈づくり」「勉強」「仕事の追い込み」の5項目に分けられます。前もって時間の使い方をきっちりと振り分けてしまえば、当日になって何をしようか迷わずに済みます（図5）。

「遊ぶ」のメニューはよりどりみどりです。私の場合はオペラ、クラシックコンサート、ジャズ喫茶、映画、美術展と展覧会、名勝・旧跡や神社・仏閣めぐり、レストラン、古書店がメインです。ときにはディズニーランドのようなテーマパークや遊園地に足を運ぶこともあります。

ウインドウショッピングも好きで、

センスが光っている店を見つけると必ず入るようにしています。衝動買いすることも悪とはせず、ショッピングも重要な遊びの一つなのです。

実際に買ってみる、投資してみることで、良いものと無駄なものがわかるようになります。多少痛い思いをしても、買わないでケチをつけるよりも学ぶことがたくさんあるはずです。

「遊ぶ」場合のポイントは、前もって旅行の予約を入れたり、美術館の入場券を入手してしまうことです。おいそれと変更はできないスケジュールを立てれば、どんなに忙しくても何とか仕事を片付けようと努力します。また、午後に遊びの予定をとっておけば、午前中は勉強に精を出すなど、メリハリがつきます。

土日が休日の人であれば、1泊2日で旅行の計画を立てるのもよいでしょう。たとえば各地の温泉を順番にめぐってみるのはいかがでしょうか。

私は温泉教授として有名な松田忠徳（ただのり）さんの本と舘浦（たてうら）あざらしさんの雑誌を愛読しています。仕事柄、火山の調査に出かけることが多いのですが、火山といえば近くに温泉があるのが常です。仕事を兼ねて温泉を楽しむというわけです。

第1章でも述べましたが、オフを通じて新たな勉強が始まることもあります。温泉旅行をきっかけに、各地の歴史に興味を持って調べたり、ローカルフードに関心を持つのも一興です。火山学者としては、温泉をきっかけに地学に興味を持っていただきたいところですが……。

▼遊びや散歩が勉強に不可欠なワケ

ともあれ、遊びは「仕事と違うことをやる」のが原則です。「遊ぶ」ことは、新しい世界を見る、世間を知る、という意味では、実に大きな価値を持っています。

特に私のような学者が仕事ばかりしていると、学問はできても世の中の役に立たなくなるという弊害が生じます。講演会をするのでも、世の中の関心に合わせて話さないと、聴衆の心をつかむことはできません。

世間を知る努力を通じて、勉強によるアウトプットを最大限にする。これはビジネスパーソンにも同じことがいえるでしょう。

「体力づくり」として、私は月に2回程度、週末に京都の街を散歩することにしています。朝から日が暮れるまで、お寺を見学したり、本屋に立ち寄ったり、美術館に行

ときには鴨川の河畔でボーッと過ごすこともある

ったり、鴨川を見ながらボーッとしたり、目星を付けていたレストランで食事をしてみたり……。

トータルで8時間くらいは歩いていると思います。どうしても平日は運動不足になりがちなので、週末に運動を兼ねて散歩をするのです。

歩くというのは実は基本的な勉強の所作です。たとえば仕事で地方に出張したときなど、地下鉄3駅分くらい（30分程度）をあえて歩いてみるのです。そうすると街の活気がわかるだけでなく、特産品も、地元の人々の様子もわかります。

歩いているだけで得られる情報には侮れないものがあります。バスやタクシーに乗ったり、電車に乗っているだけでは得られない情報が入ってくるのです。

ジョギングと比べても歩く方がおすすめです。というのも、ジョギングは心肺を傷めたり足を痛めると主張する専門家もいて、賛否両論があります。しかし、歩きに関しては、ほとんど否定的な意見を耳にすることがありません。リスクを避ける意味でも、適度に歩いた方が健康的ではないでしょうか。

また、加齢による老化はまず足からくる、とよく言われます。意識してエレベーターやエスカレーターを避けて階段を使うことでも、足腰を日常的に鍛えられるのです。

また、「人脈づくり」も、勉強と密接に結びついた時間の使い方の一つです。仕事のステージを上げるためには、レベルの高い人脈を作る必要があります。

新しい発想と情報は、少なからず人が運んできてくれるものだからです。レベルの高い人脈を作るためには、自分もそれなりの勉強を積んでおくことが求められます（第7章参照）。

「遊ぶ」「体力づくり」「人脈づくり」「勉強」「仕事の追い込み」という5つの枠組みはどれも重要な項目です。このうち最初から二つは「オフ」に当たり、残りの三つは「オン」です。

ここでは是非、両者のバランスの取り方に細心の注意を払ってください。仕事や勉強ばかりしていても「活きた時間」にはなりませんし、遊んでばかりいるのも考えものです。両立してこその「オン」と「オフ」なのです。

▼飲み会に2時間以上いてはいけない

職場の同僚や友人たちと、あるいは各種の付き合いで、頻繁に飲み会に参加する人もいるでしょう。お酒を飲んでワイワイ語り合うのはとても楽しいことです。アルコールの力を借りて現実逃避をするような飲み方は感心しませんが、勉強のために付き合いを断れ、などと言うつもりはないのです。堅いことは言いません。私も酒の楽しみと効用を十分に知っています。

酒席は、まず人間関係を学ぶ場として使いましょう。さまざまな人から活きた情報を入手することができます。また、学んだことを相手に話してみるチャンスでもあります。

自分の話に興味を持ってもらうには、わかりやすく順序立てて人に話す必要があります。それによって頭の中が整理されたり、理解したことを定着させる効果がありま す。他人に認められてこその勉強です。門外漢の他人が発した率直な疑問が、重大なヒントをもたらすこともあるのです。

ただ、時間にして考えれば、酒席は2時間が限界です。通常は1時間も飲めば酒席から得られるメリットは十分に享受できると私は考えています。

というのは、3時間も飲み続けていると、最後の1時間は思考が鈍ってきて、同じ話を繰り返したりするからです。結局「死んだ時間」になってしまうことが多いのです。

酒席に参加するのであれば、最初に1時間〜2時間というワクを決めてしまうことです。そのワクの間であれば、非常に密度の濃い人間関係を作ることができるでしょう。

▼「旅先で飲む」のも貴重な勉強

また、せっかくお酒を口にするのであれば、お酒そのものを勉強するという手があります。実は、お酒は知れば知るほど人類の歴史と英知が詰まっている飲み物なのです。

どんな酒でも、お店で飲んだときに詳しい人から蘊蓄（うんちく）を聞かせてもらいます。場合によっては、お酒の製造過程だけでなく、お酒の背後に隠された文化や伝統、地理、国際情勢まで教えてもらえるかもしれません。

お酒がどうやって輸入されているかなど、流通の知識を持っている人もいるでしょう。お酒をきっかけに文化ばかりか経済を勉強することもできます。

これと関連して「旅先で酒を飲む」というのも、実に貴重な勉強の経験です。海外であれば、イギリスのパブなどに行くと、新参者がいい意味で酒の肴（さかな）になって場が盛り上がるケースがしばしばあります。

少しでも英会話ができれば、地元の常連に一目置かれ、「乾杯！」「おごるよ」などと言われたりして実に楽しい時間を過ごすことができます。

もちろん海外でなくても、日本の地方を旅行したときに、地元の人たちと盛り上がることがあるでしょう。それを期待して飲みに行くのはちょっと厚かましい気もしますが、たまたま出会った人と楽しく飲めるというのは大切な人間的能力です。私はたまたま旅先で立ち寄ったソバ屋の主人ご夫婦と仲良くなり、今でも楽しく付き合いが続いています。

話は少し脱線しますが、知らない街を旅したときに旨い店を見つけるコツを、ここでご紹介しましょう。

一人旅の場合、比較的自由に行動できるでしょうから、まず街の中心から外へ向かって歩き続けてください。地方都市であれば、30分も歩けばかなり端の方にまで到達します。

中心街はだいたい似たような店構えで、同じようなのれんが掛かっている店ばかりです。が、街はずれまで歩けば、いかにも地元っぽい雰囲気の店が見つかるはずです。店を見つけたら、まず外から中をうかがってみます。客がたくさんいるようなら期待大です。いかにも地元客のものらしい自転車や車があれば、なおよしです。人通りが少なく、かつ人が集まっている。こういう店は、大体においてハズレがありません。

店の中に入ったら、他の人が何を食べているのかを観察してください。同じものを注文すれば、高い確率で美味しいものにありつけます。

たとえば、メニューに載っていない品が必ずあります。旬の食材は土地の人にとってみればあまりにも当たり前なので、日替わりメニュー用の黒板には書かれていません。他のお客さんたちが楽しそうにしている会話を聞き取る能力だけが頼りです。ここで美味しいものにありつけると、一生の思い出になるでしょう。

——と、ここまでは経験上お伝えできる公式的な見解です。似たような店が数軒ある場合、どの店を選択すべきかなどは、もう直観で決めるしかありません。時には失敗することもあるでしょうが、経験を積み重ねるうちに直観も磨かれていくものなのです。

▼教養番組から専門家の知恵を盗む

「死んだ時間」の反対が、「活きた時間」です。「活きた時間」を増やすためには、まずテレビやスマホとの付き合い方を見直す必要があります。

「忙しくて本を読むヒマがない」と口ぐせのように言う人が、何の疑いもなく動画やネットニュース、さらにSNSのタイムライン等をだらだら見続けていることがあります。試みに、これらを見るのをやめてみれば、時間は難なくひねり出せるはずなのです。

基本的には、ニュースを長時間も見る必要はない、と私は考えています。地上波や衛星放送のテレビをはじめとしてネットやSNS経由のニュースは、すべて刺激的な映像を使いながら、視聴者に興味を持たせるように作っています。よって、いったん見始めると、1時間くらいはあっという間に経ってしまいます。

特に朝は、新聞の記事を読み上げているだけに等しいニュースがほとんどです。しかもソースの情報はそれほど増えるものではないので、同じようなニュースをその後も繰り返し流しています。冷静に考えると、あまり価値のない情報まで見ていることが少なくないのです。

その点、新聞であれば、自分の判断で記事をピックアップして、どんどん読み飛ばすことができます。ネット上のニュースも同様です。したがって、ニュースは新聞、あるいは丁寧な取材記事を書いている週刊誌を押さえれば十分ではないかと思います。

ただ、何かと時間の無駄遣いの代表のように言われるテレビですが、中には知的好奇心をくすぐるたいへん優れた番組もあります。

たとえば、アカデミック・バラエティと呼ばれるテレビ番組を用いた勉強法です。

各分野で活躍する専門家をゲストに招き、出演者は講義を受けつつ、楽しみながら教養を深めるという形式の番組がたくさんあります。実際、「世界一受けたい授業」(日本テレビ系)をはじめとして、私も解説の立場で何度か出演した経験がありますが、実によく作られています。

この種の番組を安易なバラエティと軽んじてはいけません。短い時間に専門的なコンテンツが非常に凝縮して詰まっているので、自分が興味を持ったテーマに関しては、是非チェックすることをお勧めします。

▼気になる番組は2回以上見る

「世界一受けたい授業」などは、1回見ただけでは頭に入らないくらい内容の濃い作りになっています。私も、火山のテーマで出演した回のビデオを学生に教材として見せることがありますが、2回くらい繰り返して見ないと理解してもらえないほどです。逆に言えば、非常に密度が高いので勉強能率が良いということです。

NHKでは、長寿番組の「プロフェッショナル　仕事の流儀」が秀逸です。一流と呼ばれる人たちの本質に迫るインタビューであり、少しでも自分の興味のある分野はきちんとチェックしておくことです。

同様に、教養番組として「又吉直樹のヘウレーカ！」「100分de名著」「ブラタモリ」などで、各方面の研究内容を居ながらにして学ぶことができます。特に、「ブラタモリ」は地学の面白さを社会に広めていただいた点で、私のアウトリーチ（啓発・教育活動）に強力な味方となりました。

こうした番組では、専門家の日常や思考法などが巧みな会話により引き出され、学者の生態そのものを垣間見るおもしろさもあります。さらに、子ども向けの教養番組では、世代を超えて情報や要点を伝えるにはどうしたら良いのかを考えるきっかけも得られるでしょう。

教養面では、NHKの「美の壺」もうってつけの番組でしょう。障子や瓦葺（かわらぶき）、仏像や庭、織部（おりべ）焼や和菓子、クラシックカメラや北欧インテリアなどなど、ありとあらゆる「くらしの中の美」を紹介しながら、知的好奇心を刺激してくれます。ナビゲーターの草刈正雄さんの語り口にも味わいがあります。

そして本当にテレビに出ている専門家から学ぼうと思ったら、良い番組は録画して

2回でも3回でも繰り返して見てください。第1章でも述べた「武器を見つける」ことに関しても、きっと重要なヒントが得られるはずです。

「ラクして成果を上げる」という観点からは、貴重な持ち時間と相談しながら、テレビ番組も効果的に使っていただきたいものです。

▼睡眠時間を確保するのが勉強への近道

テレビと同様に、ムダな時間とされる向きもある睡眠時間ですが、これを犠牲にするのはもってのほかです。睡眠時間を勉強にあてればいいというのは、私が主張する「最小努力、最大効果」の原則からもっとも遠いところにある発想です。

優先すべきはむしろ睡眠時間の十分な確保です。頭がクリアにならなければ、勉強の効果も上がりません。睡眠をとって頭を休めることで、勉強の効率が担保されるのです。

ノーベル生理学・医学賞を受賞した利根川進教授は、夕方に研究室へ現われ、夜中に実験していたときに、「寝る間も惜しんで研究に没頭しているのか」と同僚に聞かれたそうです。これに対して、彼は「昼間に寝ているだけだ。しっかり睡眠をとって頭をフル回転しなければ、よい研究成果は出せないからね」と答えたといいます。

一般に知られているように睡眠は、脳活動が活発な「レム睡眠」と、脳活動が休息している「ノンレム睡眠」に大きく分けられます。レム睡眠中は、脳内で記憶が整理されている時間とされ、つまり日中に学んだ内容を定着させるためにも、十分な睡眠が不可欠というわけなのです。

よって、ムダな時間は切り詰めてさっさと寝床につくのが得策です。私の場合は、夜の12時には必ず寝るようにしています。理想の睡眠時間には多少の個人差があるでしょう。5時間で十分な人もいれば、8時間寝ないとすっきりしないという人もいます。自分に合った睡眠時間を前もって把握しておき、それをきちんと守ることが肝心です。

人間の体内時計のサイクルは25時間で回っているといいます。もし昼夜の区別がない条件で生活すれば、起床時間と就寝時間が自然に遅くなってくるそうです。朝起きるのがつらいのは、この25時間のサイクルのためです。先の利根川教授が夜型になってしまったのも、だんだん時間がずれていったためでしょう。

完全フレックスタイム制の研究者ならいざ知らず、規則ある生活を送るためには、**体内時計を毎日リセットする必要があります。毎朝定時に起床することで、体内時計を調整するのです。**

リセットにもっとも大切なのが、日光を浴びることです。できれば起床時間になったら部屋のカーテンをパッと開け、朝の光を浴びることができる状態にしておくのが理想です。眠っている状態に日の光を浴びることで、体は朝が来たことを感知します。

余裕があれば、朝日を浴びながら散歩をするのも有効です。少なくとも通勤中に日光を浴びることを少し意識するだけでも、目覚めが違います。目覚まし時計で無理やり目を覚ますよりも、はるかに体にいい方法です。ちなみに、休日に「寝だめ」をする効果はあまりないそうです。

睡眠に関しては、起床した際に水を飲むというのも重要なポイントです。眠っている間には水分をとらないため、人間の体は朝起きたときに水分不足の状態に陥っています。目覚めに１杯の水を飲むことで、体に良いだけでなく、確実に目が覚めるという効果もあるのです。

第3章
知的生産の環境と情報をどう整えるか？

京大の研究室。クリエイティブなアウトプットは
ここから生み出される

▼食卓テーブルの方が勉強がはかどる

効率的な勉強のためには、勉強道具の使い方や環境づくりが大きなポイントとなってきます。本章では、「勉強アイテム」の活用法を中心に、実践的なテクニックを紹介しましょう。

勉強部屋を作る際のコツは、まず十分に広い作業スペースを取ることです。すべての道具を一望のもとに展開することで、探したり片付けたりというタイムロスを極力防ぐことができます。そのために「空間の確保」は、効率アップのために不可欠な要素なのです。

私の書斎にある机は、一般的なビジネスデスクではなく、4人がけの食卓テーブルを使用しています。

勉強机ではなく、あえて食卓テーブルを使うというのには理由があります。

書斎がある人の陥りやすい罠に、「座っただけで勉強した気になってしまう」というものがあります。書斎を持つことは多くのビジネスパーソンの夢ですが、あまりに立派な書斎の中では、かえって勉強モードに切り替えにくいという弊害があるのです。

一方、普段は食事をしている食卓テーブルに、パソコンや辞書やノートといった勉強道具を展開するとしましょう。道具を一式セットすることで、勉強に向けて気持ちを切り替える効果が生じます。身も心も引き締まって、「さあ、やるぞ」という気持ちになるのです。

したがって、書斎がないからといって、何のハンディを感じる必要もありません。逆に言えば、書斎がないことは、勉強ができない理由にならない、ということにもなります。

さて、食卓テーブルで勉強していると、「朝食を始める」「子どもが帰ってきた」など、どこかの時点で撤収を余儀なくされることがあります。

そこで「もうちょっとやりたかったのに」と余韻が残ることで、次の勉強に対するモチベーションが持続する効果が生まれます。食卓への切り替えが次の勉強の背中を押す。すなわち、手帳の使い方のところで出てきた「呼び水法」の応用です（83ページ）。

▼硬めのイスは集中できる

ちなみに腰掛けるのは、テーブルセットのイスで十分です。キャスターは付いていない4脚の、ごく普通のイスです。せいぜい背もたれが付いていれば問題ないと思います。肘掛け(ひじか)もとくに不要でしょう。

リラックスするイスと勉強のためのイスは、それぞれ使い分けるべきだと思います。短時間で集中したいようなときは、フカフカしたイスよりも、むしろ肘掛けのない硬いイスの方が適しています。イスに腰かけた感触から、勉強モードの気持ちにスイッチオンするのです。

必要な道具は、先ほど述べたようにすべて机上に展開します。そのため、引き出しは必要ありません。

ちなみに私の机の上には、文房具類が置いてあるほか、パソコン、プリンタ、必要な情報が入ったクリアフォルダが積まれています（使い方は後述します）。

また、使わない物は机に置かないことです。本や資料を増えるがままに積み重ねている人がよくいます。これらはあっという間に机上を占拠し、勉強の妨げになります。

よって、あくまで今必要な勉強道具だけを、使いやすい場所に配置しましょう。机に向かえばすぐに勉強に取りかかれる状況にしておくのです。さらに、やるべき勉強メニューを付せんなどにメモ書きして、机の上に貼っておけば完璧です。

▼パソコンに「使われない」ための鉄則とは？

パソコンは、勉強の成果をメモとして入力したり、メールやブログを書いたり、レポートや企画書などのアウトプットを行うために必須の道具です。

と同時に、インターネットを通じて情報をインプットするという大事な側面もあります。便利である反面、使いようによっては「時間泥棒」にもなりかねない危険性を持っている道具ともいえそうです。

パソコンを使っているようで、実はパソコンに「使われて」いる状況が少なくありません。

皆さんも机に向かうなり、メールのやり取りを始めたり、ネットサーフィンをして過ごすことがよくあるのではないでしょうか。また、凝った資料を作ろうとして細部にこだわるあまりに、膨大な時間を費やすケースも少なくないでしょう。

こういった時間を極力減らすように、パソコンでする作業内容を前もって決めておくのが肝心です。パソコンに使われないためには、「パソコンは極力アウトプットに使う」ということを常に意識しながらパソコンに向かうことです。

▼電子辞書をインストールする

インプットのためにはインターネットだけでなく、百科事典から類語辞典、国語辞典、英和辞典、和英辞典など、各種の電子辞書を積極的に活用するとよいでしょう。

私のパソコンには、2種類の電子百科事典が入っています。また、仕事柄『理化学辞典』と『現代用語の基礎知識』の辞書ソフトもあります。それらによって、いちいち大部の紙の辞書を引かなくても、調べたいことが迅速に検索できます。

たしかにインターネットからでも素早く正しい情報を見つけることはできます。が、総じて玉石混淆の感は否めません。ときには、もっともらしい体裁ながら、掲載されている数字がまるで間違っていることもあります。

その点、さすがに百科事典や辞書には安心がおけます。出版社の編集者や校閲の手がしっかりと入っているから当然のことです。私は出張するときにも、電子辞書をよく持ち歩くようにしています。ちょっと英語のスペルを調べたり、正確な数字や年代を確認するために使うのですが、かなり重宝します。

▼２台のプリンタを使い分ける

パソコン本体はデスクトップ型とノート型の併用がおすすめです。つまり、デスクトップ型をメインにして、ノート型をサブとして持ち歩く、という使い方です。

デスクトップ型はウィンドウズでもＭａｃでもＬｉｎｕｘでも、長年使い慣れたＯＳと機種で構いません。

持ち歩き用としては、私の場合ｉＰａｄを使っていますが、これも自分の好みで良いでしょう。ネットやメールの作業に支障のないサイズであれば何でも構いません。

ここでのポイントは、使いやすかったらむやみに変更しないことです。機種もソフトもそれらを変えるための時間とエネルギーのロスを最小限にしたいからです。

デスクトップ型をメインにする理由は、テーブルに置いたパソコンを起動する瞬間に、勉強モードに切り替わる利点です。それにノート型を併用するのは、持ち運んで仕事をしたり、外出先でプレゼンに使うためです。

そしてパソコンの周辺機器については、プリンタの選び方が重要となってきます。まず1台だけ用意するのであれば、スキャナ・コピー兼用機であることが前提です。以下に記すことは、旧版の『一生モノの勉強法』から10年経っていますが、今もまったく変わっていません。

コピーとスキャナの違いは、端的に言うと処理スピードの差です。コピーはワンボタンで出力紙が出てきますが、スキャナの場合は、スキャンしてからデータ化するまで、ある程度のタイムラグが生じます。

よって、コピーをメインに使い分けを考えるわけですが、スキャナが活躍するのは、紙媒体で入手した情報をデジタル保存するときと、他人に情報を送信するときです。

チラシでもスケッチでも、スキャンしたデータを電子ファイルで保管しておきます。そして必要であれば、プリントアウトして机の上に広げながら、あれこれと考えを巡

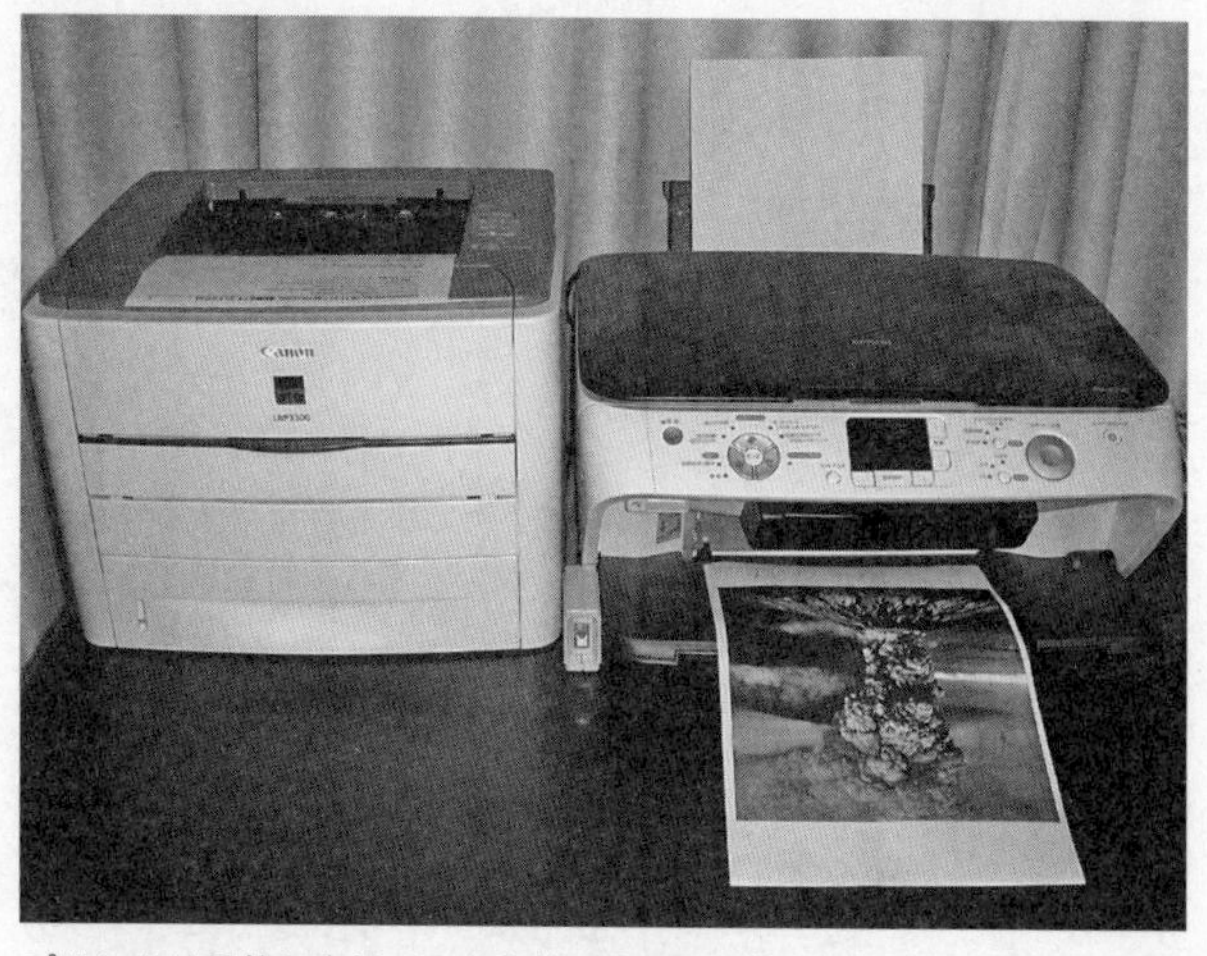

プリンタは目的に応じて2台を使い分ける。左がモノクロレーザープリンタ、右がスキャナ付きのカラーインクジェットプリンタ

らします。つまり、アナログ思考によるクリエイティブな現場を、机上に再現するのです。このような使い分けができるために、スキャナもコピーもどちらも必須の道具となっています。

特に、データやファイル、または原稿などを頻繁に出力する機会があるという向きには、プリンタを2台セットすることをお勧めします。1台は、モノクロレーザープリンタで、もう1台は、カラーインクジェットプリンタです。

モノクロのプリントを大量に出力する際には、何と言ってもレーザープリンタのスピードに圧倒的な分があります。1枚あたりのコストが安いのも魅力的です。

カラーインクジェットプリンタは、人に対して説明する資料には欠かせません。我が国の研究者は文部科学省の科学研究費を申請するときに、カラーで見栄(みば)えのする書類を作ります。内容もさることながら、美しくわかりやすい申請書は通る確率が高いようです。

▼データのバックアップを甘く考えるな

パソコンでデータを作成した場合は、バックアップを取ることを忘れないでください。書類を作るたびに、こまめにデータを保存するには、USBメモリがあれば十分でしょう。

さらに動画を保存したり、これまでに作成したすべてのデータのバックアップをとっておくためには、外付けのハードディスクが必要です。現在は、10テラぐらいまでのハードディスクが容易に手に入りますが、日進月歩でさらに安価になるでしょう。

パソコンはいつ壊れないとも限りませんし、肝心なところでフリーズすることもあります。前の章で述べたように、電気に頼る生活を、自然災害が長期間にわたって破壊する可能性も、決してゼロではありません。

一番大切なのは、自分が作った知的な情報です。パソコン自体はお金を出せば新しい物が買えるでしょうが、失ってしまった原稿やデータはお金で買い戻すことができないのです。

やはりバックアップのために最低限の投資をすることはとても大切です。毎回、仕事が終わったあとにバックアップを取る習慣をつけておけばリスクがありません。会議の最中や、ご飯を食べたりテレビを見たりしている間に、長くても数十分くらいでバックアップを取ることができます。私は教授会など長い会議が始まる前に、全データをハードディスクへコピーするセットをしてから出かけます。

もちろん最近では、Dropbox や OneDrive、Google Drive など、クラウド上に保存するサービスも充実しています。既に慣れている人は、もちろんそれを踏襲すればよいのです。その一方、電源という文化装置が消える可能性と、グローバル化した高度情報社会のセキュリティを考えると、手元にバックアップデバイスを確保しておくことは必須ではないかと考えています。

▼知の記録としてのデジカメ活用術

じつのところ、人間の記憶力はまったくあてになりません。必要な情報は記憶に頼ろうとはせず、記録するクセをつけることです。

「頭を使わずに道具を使う」。これは効率的な勉強の鉄則です。また、道具を利用して記録しようとすることで、物事に関心を持つようになります。普段見過ごしていたものが多いことにも気づくはずです。

記録媒体の一つとして、スマホやタブレットに付属しているカメラは必需品です。枚数を気にせずシャッターを切る＝記録のチャンスを増やせるということです。とにかく、むやみやたらにたくさん撮ることで、良い作品だけをあとで残せばいいのです。

付属カメラが有用なのは、野外や趣味の領域だけではありません。コピー機がすぐそばにない出先のオフィスなどでは、スマホを持っていれば手で書き写さずとも瞬時に情報を取得できます。

たとえば、資料の1ページをコピー代わりに写真に納めるという使い方ができます。また、街を歩いていると、各種の説明板や案内板、地図を見かけます。季節の花やスナップ写真とともに、気になったものがあれば、何でもメモ代わりに撮っておくのです。

そうすると、プレゼンをするときに、資料の一部として挿入したりという使い方ができます。本書に挿入している写真も、私が普段から撮り溜めているものの一部です。面白い使い方としては、自己紹介をするときに、自分の趣味であるボルドー産ワインのビンの写真などを見せてもよいと思います。

ビジュアルは、なまじっかな説明よりもはるかなインパクトを持ちます。「ああ、この人はワイン好きなんだな」と、自分をアピールするときに強力な味方となってくれるというわけです。

ただし、どのような場合でも「記録のための記録」になるのも困りものです。何でも溜め込むだけで安心してしまう人がいます。**撮った写真はきちんと整理しない限り、後々の活用に結びつけることはできません。**

▼整理用にインデックスの1枚を撮る

撮影した画像は、自宅に帰ってからではなくて、帰りの電車の中やちょっとした待ち合わせの時間を使って編集するクセをつけることです。そうやって整理をすれば、パソコンに取り込んだ時点で、本当に必要な10枚だけになったりするものです。

スマホやiPadで撮った写真の整理で使えるのが、インデックス用の1枚を撮るというテクニックです。どういうことかというと、お寺を拝観して写真を撮るときに、まずはお寺の名前が入った標札や看板を撮っておくのです。そうすると、たくさん撮った写真をあとで整理するときに、どのお寺で撮影した写真かが一目瞭然です。

同様に町歩きの写真であれば、交差点の道路交通標識を1枚写真に撮っておくだけで、歩いてきたルートが、あとから容易に追跡できるようになります。なにしろ写真は時系列に撮影されているのですから。

つまり、「撮りながらにして整理をしておく」というのがポイントです。欲を言えば、撮ったときに編集が終わっているようにするのが理想なのです。

インデックス用として、最初に「固有名詞」を写しておく（源光庵）

源光庵の室内。スムーズな整理には、上の写真が不可欠

自宅に写真を持ち帰った段階では、あとは写真を時系列にフォルダに入れるだけです。ここでも、人物、風景、イベントなどというテーマごとのフォルダは作らず、一日ごとの日付に従ったフォルダに整理します。さいわい画像のデータには撮影時間が分単位で入っているため、これがもっとも簡単な方法です。

ただし、海外に出て日本との時差がある場所では、現地の時刻にこまめに設定しなおす必要があります。これさえやっておけば、時系列に従って記録された写真は、きわめて整理しやすいものと言えましょう。

人間の記憶には「時系列で並べておく」ことが、思い出すためにもっともメモリーを使わないようです。膨大な写真の中から目的のものをより容易に探し出すことができ、結果的にはムダな時間を短縮することにつながるのです。

▼愛用の文房具を使い倒そう

本に線を引いたり、メモを取ったり、手紙を書いたり、問題集を解いたり……、と筆記具は何をおいても勉強の必須アイテムです。

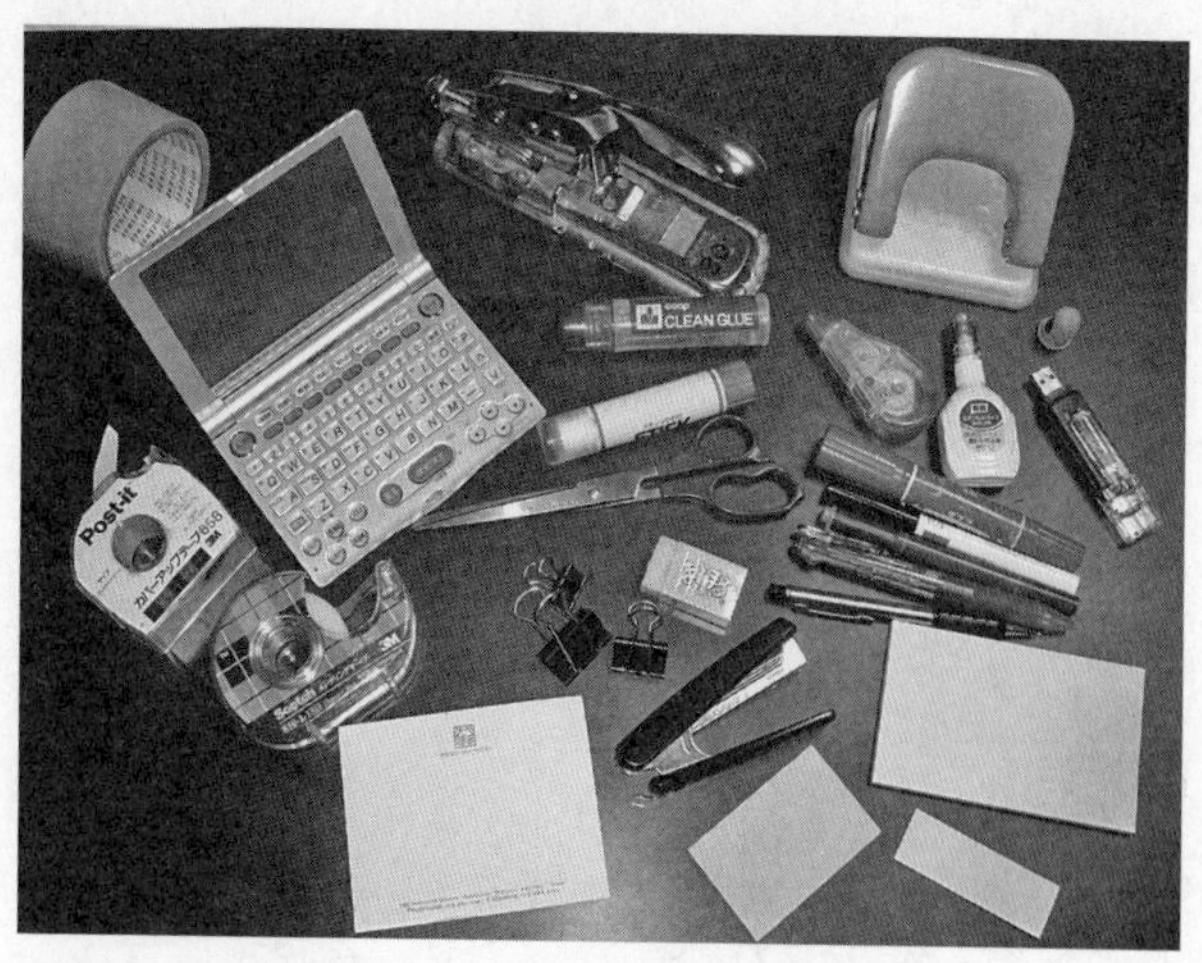

机のまわりに常備している勉強道具一式

私の机の上には、メモ用紙、ハサミ、シャープペン、4色ボールペン、ラインマーカー（6色）、消しゴム、ホッチキス、定規、付せん紙（大中小）、クリップ、セロテープ、のり、文鎮、クリアフォルダ（A4）が常に置いてあります。

これらも、旧版の刊行後10年の間に変化がないのです。変わったのは、4色ボールペンとシャープペンが1本になった筆記具を使うようになったくらいでした。

自分でも驚いたのですが、私の勉強法にまつわるアナログ技術は既に確立しており、アップデートする必要がほとんどありませんでした。これも、読者の皆さんには知っていただきたいことの一つです。つまり、「アナログは古くならない」という興味深い事実です。

さて、筆記では鉛筆（もしくはシャープペン）を用いるのが基本です。**鉛筆は書いて消せるというのが、最大のポイントです。**

どうやら「消す」という行為が、思考の整理に一定の役割を果たしているようです。私の感覚では、字を書いては消すという行為を延々と続けることで、頭が次第に活性化してゆくのです。

ただし、急いでメモを取るときなどは、いちいち消しゴムで消したりはせずに、ただ黒く塗りつぶしたり、線を引いたりして訂正します。このあたりは臨機応変です。「臨機応変」というのも、効率的に勉強するためのキーワードの一つです。

仕事術には、決まった原理というものはありません。その場の作業、そのときの自分にもっとも合った方法へと、どんどん変えていったらよいのです。

筆記具は黒一辺倒ではなく、カラーにバリエーションをもたせることで、情報整理の効率を上げます。そのため４色ボールペン、６色分のラインマーカーを併用しています。**情報をグルーピングしたり、強調したいときにはカラーペンが威力を発揮しま**

す。

なお、これらの文房具は、決まった場所や引き出しの中に置いてあります。よって私はどれも探し回ることがありません。「物に定位置あり。定位置に物あり」というのが私のシステムです。普段からそのように整理しておくことで、文房具を探すロスタイムがゼロになりました。

▼アナログの「コピーペースト」が思考を刺激する

ホッチキス、セロテープ、クリップ、クリアフォルダなどは、「コピーペースト」を念頭に活用する道具です。

先述したように、私はスキャナ兼用のプリンタをコピー機として活用しています。カラーもモノクロもコピーできる機械です。

本を読んでいて引用したい箇所や、図書館から借りてきた本の一部、雑誌の記事（基本的には切り取って保管するのですが、中でも保存しておきたいもの）、展覧会の図録などは必要に応じてコピーしておきます。

コピーやさまざまな資料、雑誌の切り抜きなどをアウトプットにつなげるために、今度はペースト（再構成）する作業が必要です。

ホッチキスやセロテープは、資料をペーストする際に頻繁に使用する道具です。また、後述するルーズリーフをひとまとめにするときにも欠かせません。

ホッチキスやセロテープ、ときにはクリップを用いて綴じる資料は、紙ベースで10枚が目安です。ホッチキスで綴じた資料が何セットかまとまったならば、今度はクリアフォルダで一つにまとめるという段階へと移行します。

付せんは大きさもカラーもさまざまなの

で、用途に応じて使い分けができるアイテムです。クリアフォルダの表面に貼ってタイトルを書き込めば、インデックスとしての機能を持ちます。もちろん、読んでいる本の重要な箇所に付けたりもします。

付せんに情報を書いて貼り付けるという方法は、ありとあらゆるものに応用できますが、いずれにせよ情報を一目瞭然にするというのが、押さえておきたい原則です。

▼ノートは「オモテ面だけ」使用する

読者のみなさんには、勉強用のノートを作ることをお勧めします。といっても、1冊に閉じてあるノートではなくA4のルーズリーフを使うのです。

ルーズリーフは罫線が引いてあるから文字が書きやすいということもありますが、最大の利点は、「可変式である」ことです。圧倒的にファイリングに便利です。

私が使っているのは、罫入りで30穴の用紙（罫幅6ミリ）です。使用するのは片面のみ。まずテーマを目立つ上部に書いておきます。同じテーマには必ず通し番号を入れます。また、日付と時間（AM／PMの別）も記入します。後の分類のため必須の

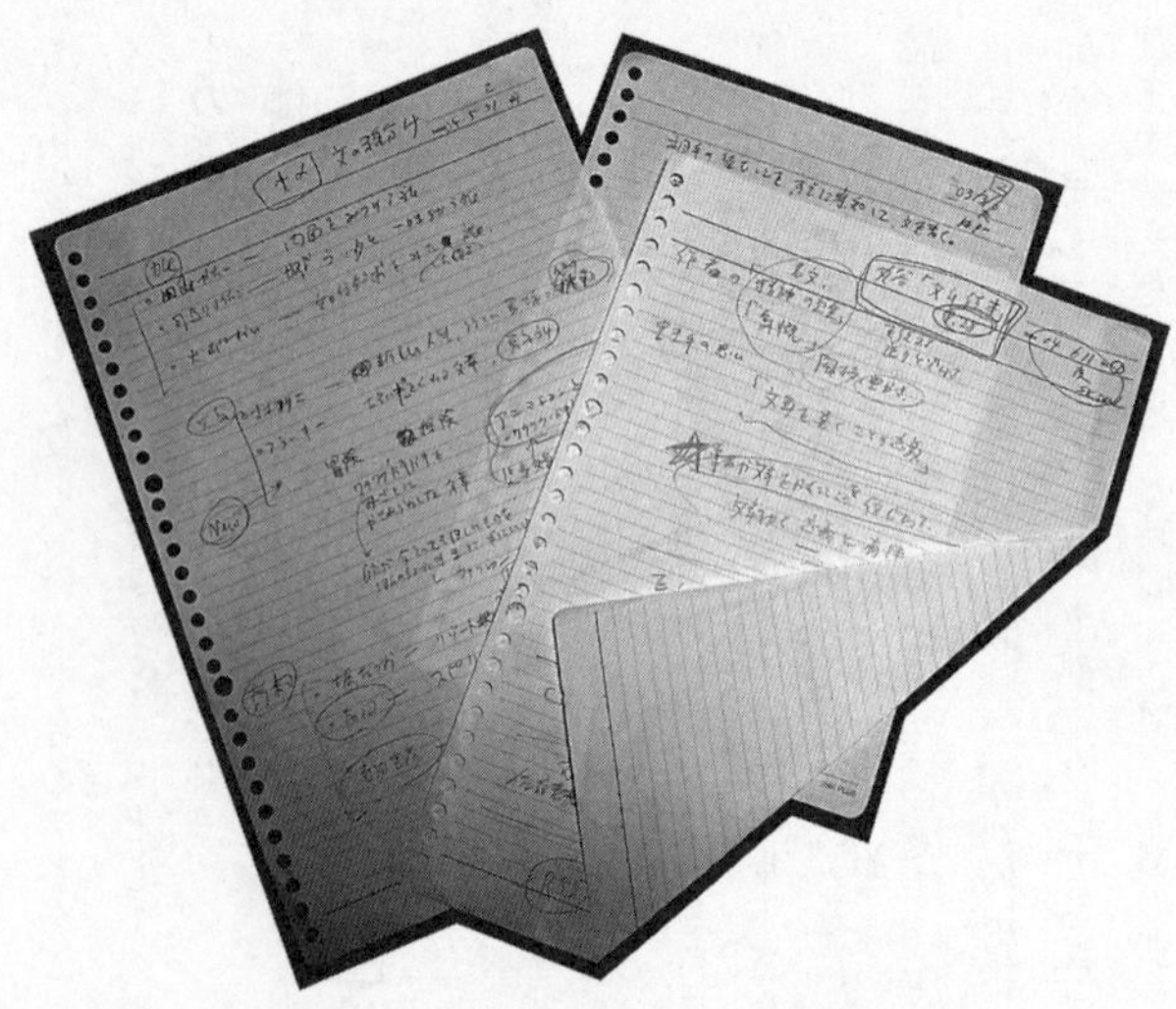

ルーズリーフはオモテ面のみに記入し、ウラ面は余白にしておく

情報です。

片面のみで1、2、3、4、5という具合にページを増やしていき、あとから2ページに追加したい情報が見つかった場合に、初めて2ページの裏側に追記するのです。**ルーズリーフの裏はあくまでオプションとしてのみ使用する**ということです。

これはバッファーを確保する方法＝「バッファー法」の活用です。バッファーとは、緩衝器や緩衝装置を意味する言葉です。つまり、**危険を和らげるためのクッション、あるいは「遊び」を前もって設け**

ておくということです。

また、ルーズリーフの裏側は、付帯情報を追加する際にも重要な役割を果たします。たとえば、ノートのテーマに関連した資料、あるいは映画のチケットなどを、ホッチキスやセロテープでルーズリーフの裏側に直接留めてしまうのです。言ってみれば、会社の経費申告書に領収書を綴じるような要領です。

一度書き付けたルーズリーフの中から、必要な箇所だけ切り取って新たな1枚にホッチキスで貼り付けたりも可能です。本の引用文を記しておきたいときに、本をコピーしたものから、該当する部分だけを切り取って貼り付けることもします。

書き損じたページは、いちいち書き直さないで破棄します。ノートは几帳面にとる必要はありません。きれいにまとめることよりも、後で活用することを念頭に置きましょう。

▼バインダーとテーマの整理術

最終的にルーズリーフには、自分が書いたコンテンツと、それに関連した付帯情報

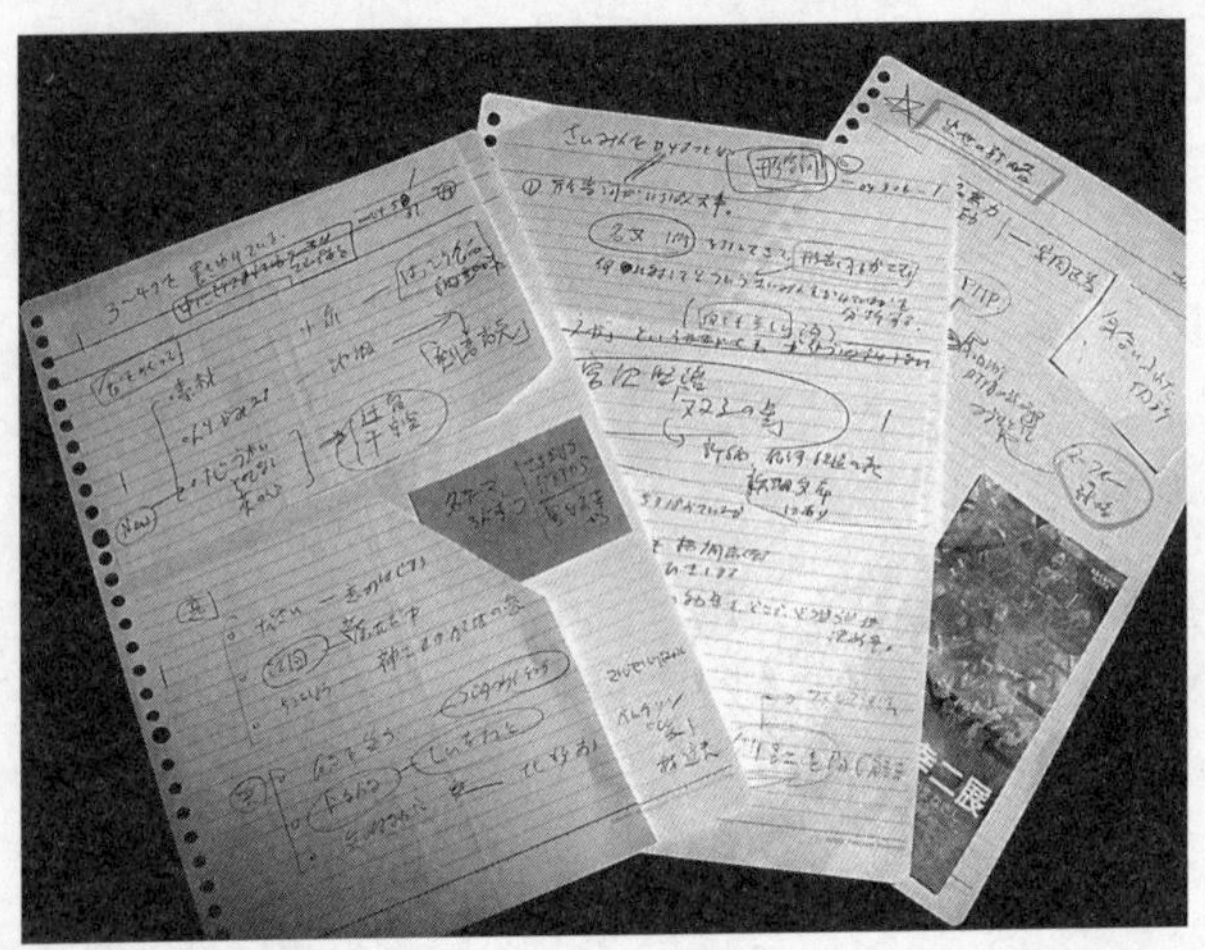

切り取ったメモや入場券もルーズリーフに貼り付ける

が一望できる状態になります。書き終えたルーズリーフが3枚くらいのときは、左端をホッチキスでとめればよいのです。

それらが何枚かまとまった段階で、ルーズリーフ用のバインダーに綴じるというわけです。バインダーは、いま進行中のテーマごとに分けて使います。

ときには、10冊分のバインダー（つまりテーマ）が同時に機能していることもあります。すなわち、作業が終わったものから随時、ルーズリーフはバインダーへと直行していきます（図6）。

図6　バインダーは「一時的な保管場所」

●バインダーを使い『テーマA』を勉強

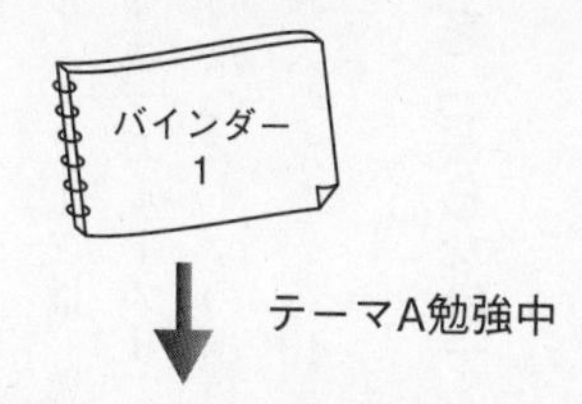

テーマA勉強中

●『テーマA』の勉強終了
バインダー1から『テーマA』の勉強ページをはずす

●続けてバインダー1を使い『テーマB』を勉強
終了したらページをはずす、この繰り返し

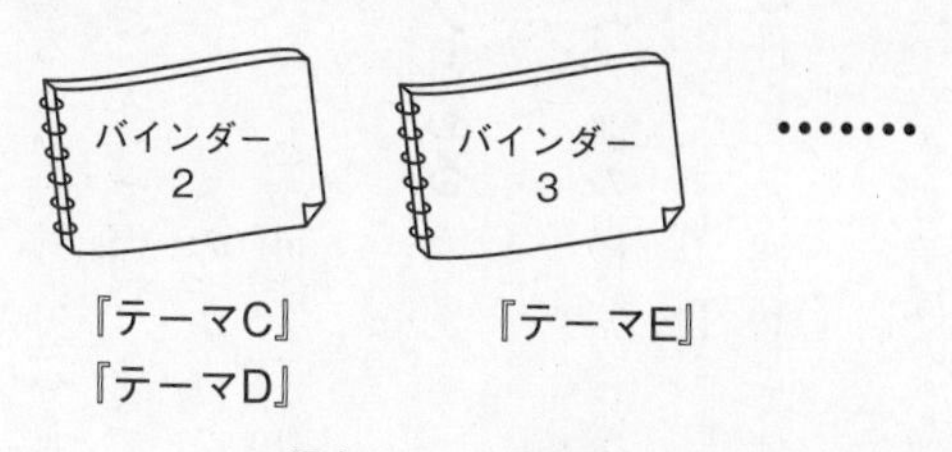

※場合によって複数のバインダーを使用する

バインダーはあくまでも「一時的な保管場所」という位置付けです。バインダーに綴じられたルーズリーフは、一連の仕事が完了すれば、はずされます。バインダーを通過したルーズリーフは、残しておく必要があるもの以外は処分します。

「永久保存版」のルーズリーフは、段ボール箱に入れて保管します。そしてバインダーはまた新たなテーマの出現を待ってリサイクルされるのです。こうして、バインダーは一度購入したものを10年も20年も使い続けることが可能となります。

▼ノートを「とらない」というテクニックもある

さて、ここでノートのとり方に関してまったく別の視点から述べたいのですが、「ノートをとらない」という戦略があることも覚えておいてほしいと思います。

というのは、ノートをとらないで、いわば感性をフル回転して情報を直接頭に入れたほうがいいこともあるのです。

人間には意識的に学習する領域と、無意識に学習する領域の2種類があります。意識は左脳が、無意識は右脳が司る領域です。ちょうど意識領域を氷山の一角としてたとえられるように、人間のほとんどの行動を規定するのは無意識であるとも言われています。

これまでに読んだ参考書や講演会の内容は、意識の上では時間が経つにつれて往々にして忘れてしまうものです。しかし、実際には無意識がすべての情報を記憶しています。

そして、5年後、10年後、もしかすると30年後に、蓄えられていた情報が何かのきっかけでよみがえり、人生を変えるほどに作用することもあるのです。

無意識を活用するには、あえて意識の活動を制御することが大切になります。つまり、本当に大事な情報は、ノートにとって意識的に覚えようとしないほうがいい、とも表現できるのです。

もちろん、きちんとノートにとって、繰り返し記憶に定着すべき情報もあるでしょう。

最終的には、何でもノートにとればいいというものでもなく、その都度目的に応じて行動を変えるということが、大事なポイントなのです。

▼メモは一度書いたら書き直さない

ノート活用術とも関連しますが、勉強するテーマに関係する情報は、こまめにメモしておくとよいでしょう。「メモに書き残す」というのは、デジカメと同様、極力自分の大切な頭を使わないための戦略の一つです。

発明王として知られるトーマス・エジソン（1847－1931）は、ペンと紙を携帯し、思い浮かんだアイデアを逐一書き留めていたことで有名です。エジソンの伝記を読むと、いかに彼の残したメモが膨大であったかがわかります。

技術や発明に関するひらめきだけでなく、日常の細々した生活やジョークまで書いてあるのです。こうしたメモや手紙は数百万枚にものぼり専門家によって整理が進められています。日記や手紙、構想メモや特許申請書類も合わせると、その所在を専門家10人が確認するのに1年以上かかったという話もあるくらいです。

私の場合、メモ用紙は、A4コピーの裏紙を半分に切ったものを使っています。ホテルの部屋に常備してあるメモ用紙でも構いません。メモのサイズが揃っている必要はないでしょう。

気づいたことは、その都度その場でメモ書きしていきます。基本的にはシャープペンを使い、強調したい箇所に4色ボールペンなどで色づけしたり、ラインを引いていきます。色に応じてポイントを強調したり、情報を区別できるのが魅力といえます。シャープペンとボールペンの組み合わせであれば、万一雨に濡れたり水をこぼしても、にじむ心配がありません。書き慣れた物を買い置きしておくことをお勧めします。**書き付けたメモをハサミで切り取って、先述したようにルーズリーフにホッチキスで貼り付けることもしばしばです。**

気をつけるべきは、見栄えよりも「わかりやすさ」、そして「スピード」です。書き直すよりも速いと判断したら、即座に切り貼り（カットアンドペースト）することです。

そして、人から聞く話をメモする際には、略語や記号を使って省力化するのが基本です。ただし、「キーワード」「キーフレーズ」はきちんと記すことが肝心です。人名などの固有名詞、数字、年号などは、その場でその人に確認しておきます。キーワードを押さえておけば、あとでネットや資料にあたって情報を掘り下げることが容易になるからです。

また、これは面白い、使える、と感じたキーフレーズは、そのまま逐語的に書き取っておくと良いでしょう。できれば語った人の名前や前後の状況などもくわしくメモします。こうしておくと、後で内容を再現するときにとても役に立ちます。

▼名刺には日時やテーマをメモする

メモとペンは常に手元にあるのが望ましい状態です。外出時にもカバンに入れておきますが、万が一に備えて紙片を筆箱の中にも入れておきましょう。大きめの付せんも十分メモ用紙代わりとして機能します。胸ポケットに折りたたんだコピー用紙を忍ばせておくのもよいと思います。

よく、自分の手のひらにペンでメモを書き込む人がいますが、それよりはテーブルにあるナプキンに書いた方が得策です。

たとえテーブルナプキンであっても、一度書いてしまえば、メモ部分をハサミで切り取ってルーズリーフにホッチキスで貼り付けることができます。いちいち同じことを書き直さずに済み、時間の節約につながります。

なお、ルーズリーフと照合しやすくするために、**メモした日時と場所を一緒に記入しておくと大変便利です**。いずれも、二度手間を極力避けるための知恵です。

他にもメモ用紙に代用できるのは、意外に思われるかもしれませんが、レシート類です。レシートは基本的に裏が白であることが多いでしょうから、十分メモ用紙として使えるのです。

ところで、私は名刺もメモ代わりにしています。とくに、今後仕事が続くような関係の人から名刺をいただいた場合、受け取った日時やテーマ、次の案件を書いておく。そうすると、次にお会いするときにその名刺を１枚持っていけば、すぐに話ができるのです。

ここでは名刺を、住所やメールアドレスといった個人情報が記載されているメモ用紙として活用するわけです。そして最後に、その人との打ち合わせの際に使ったルーズリーフの紙に、ホッチキスで止めてしまいます。

名刺も戴（いただ）いて溜め込むだけでは能がありません。自分でカスタマイズすることで有効利用してはいかがでしょうか。

最近は名刺を読み込んだり整理したりする便利なアプリもありますが、上記の方法は、もらった後ですぐに処理できる点でお勧めしたいのです。情報としてのメモだけでなく、お会いした方の印象、食べ物の好みや趣味を一言で記入できるからです。こうした内容は後で思い出そうとしてもけっこう難しいもので、直後に書き込むのがいちばん効率的です。

なお、異業種交流会などでいただいた名刺は、将来の仕事に関連して人脈として活用することができます。人との初対面には最大のチャンスがあるからです。ここにはそれなりのノウハウがあるので、詳しくは拙著『一生モノの人脈術』(東洋経済新報社)を参考にしてください。

▼メモリースティックもメモ代わりに便利

メモに関連して、パソコン用のメモリースティックを持ち歩くことを是非お勧めします。たとえば何かのプレゼンを見たときに、気になった資料や写真があったとします。そうしたとき、担当者のところに行って、「大学の講義で使いたいので、データを提供していただけませんか」とお願いするのです。

あとでメールの添付書類で送付してもらってもよいのですが、データの容量によっては手間がかかったりして面倒です。その場でコピーさせてもらえば、短時間でデータの受け渡しが可能です。

64ギガくらいの大きめのメモリーがあれば、動画のコピーも支障がありません。メモリースティックを持つだけで情報収集のチャンスが一気に広がります。このように手軽な「飛び道具」をいつも携帯するという心掛けが大切なのです。

もちろんクラウドサービスを使うことも可能ですが、先にも述べたように何が起きても確保できるデータ保存の方法をオプションとして用意することを、私は推奨しています。

▼クリアフォルダは「ぜいたくに」使う

情報の整理には、透明な「クリアフォルダ」が威力を発揮します。「簡単」で「中身がすぐにわかり」「移動可能」なのが、クリアフォルダの利点です。私はいつも2

00枚は常備しておき、1テーマ1情報として管理しています。

現在勉強しているテーマに関連する資料は、すぐクリアフォルダに入れます。雑誌の切り抜き、新聞の切り抜き、プリントアウトしたホームページの情報、メモ書きなどです。資料は複数のものをたばねる前に、必ずフォルダに入れる習慣をつけるとよいでしょう。

肝心なのは、「1情報には1フォルダを使う」ことです。いずれも安価で手ごろな品物で、何度も使い回すことができます。贅沢に新しいフォルダをどんどん開封しましょう。

一つの情報を入れ、タイトルを書いた付せんを貼っておけば、何の資料であるか一目瞭然です。しかし、ここでも注意が必要です。もし同じフォルダに大量の資料をつめこんでしまうと、「外から中身が見える」というせっかくの特長を生かす余地がありません。あとで何がどこにあるのかわからなくなり、情報の死蔵につながります。

本書でいうと、1章分の原稿が一つのクリアフォルダに収納されるようなイメージでしょうか。ここではクリアフォルダの中身が多いか少ないかは、問題にはしません。もし一つのテーマとして成立していれば、2枚のコピーであっても一つのクリアフ

一つのテーマに１枚のクリアフォルダを使用する

ォルダを使用するのです。私の作業場では、ほんの数枚しか入っていないクリアフォルダが、常に50枚くらいは稼働しています。

次に、クリアフォルダの色分けについて述べておきましょう。基本的に無色透明の物が95％、色つきの物も5％くらいは使用します。色はすべてバラバラであり、好みによって使い分けています。文房具店の店頭を見る限り、30種類くらいのカラーバリエーションがあるようです。

私の場合、緊急性の高いものは赤系統、連載ものは青系統、人との共同事業は緑系統、趣味と教養は黄系統、といったように大ざっぱに分類しています。

カラーを使うのは、特に区別したい情報を入れるときのみです。中が見えるというクリアフォルダの利点を生かすには、色が少しついていても必ず中身が見える透明の物を使うのが一番です。

また、基本的にはA4のクリアフォルダしか使いません。これとは別にサブとしてA5のクリアフォルダを、メモなどの紙片を収納するときのために、20枚ほど用意しています。

表面には大きめの付せんを貼って、「一生モノの勉強法」などとテーマを書いておくのもよいでしょう。本の執筆が続く限りは、クリアフォルダは机の上や、本棚、ときには床の上を転々としながらも生き続け、機能しています。

また、途中でひんぱんに新しい紙片や領収書や入場券が加わったり、統合されたり分割されることもあります。また、出張の際には、必要な部分のクリアフォルダをごっそり鞄に入れて行きます。

ある時間が過ぎて一つの勉強が一段落したら、必要がなくなった資料は抜き取って処分します。次の仕事で使う文献や、やり残した仕事の素材を、新しいクリアフォルダに入れ直すのです。

さらに、表面の貼り紙も書き直しておきます。そうすると、仕分けも簡単であり、繰り返し使いまわすことも可能です。これは先に述べたバインダーの使い方とまったく同じ要領です。そして、保存が必要なものは、引き続きクリアフォルダに入れておけばよいのです。

ここで紹介した方法はすべて私が実際にやってみて有効だったものですが、読者の皆さんは、自分に合った方法へ「カスタマイズ」していただきたいと思います。整理に関するテクニックは千差万別であっても一向にかまいません。

大切なことは、本章で述べた整理上の「原理」を参考にしつつ、自分の好みや個性を活用した方法を確立する、ということなのです。

▼本は分野ごとに並べる、を原則に

本は、勉強手段の筆頭にあげるべき重要なものです。テーマを持てば、読むべき本が次々と現れてくるでしょうし、一定量の蔵書を持っておく必要もあると思います。

箱入り本はすぐに取り出せるようにしておく

ただし、本が増えるに任せるだけでは蔵書の効力は持ち得ません。

本は分野ごとに本棚に並べることをお勧めします。そうすると、バラバラな版型の本が並ぶことになります。文庫のとなりに四六判、さらにA5判……という具合です。見た目には統一感がなくなってしまうのですが、気にすることはありません。自分の書斎は書店のように綺麗なディスプレイをする必要はまったくないのです。

本棚には本だけを収納しているとは限りません。たとえば「歌舞伎」であれば、本だけでなく、DVDや写真集、自分でとった鑑賞メモ・ノートなども、本と一緒に本棚に挟み込むのです。分野ごとの情報が一望できるシステムを作るというわけです。

このシステムを作ることによって、新しい本やＤＶＤの置き場所も自動的に確定されます。後から加わる情報の場所もスムーズに特定できます。あまり考えずに脈絡なく置いていき、収集がつかなくなってから整理するよりも、はるかに効率的です。

また、本はできるだけ背表紙が見えるように置くのが原則です。これは探す手間を極力省くためです。箱入りの本は、背を後ろ向きにしておくのも有効です。本の中身がすぐに引き出せるだけでなく、簡単に元の位置に戻すことができるからです。

▼あふれた本はあえて整理しない

本棚の規格については、好みのもので構わないと思います。ただ、ガラス窓がついた本棚はよくありません。「取り出して使う」ことが第一なので、本棚はとにかくオープンになっていることが原則です。

同じ規格の本棚を十数本一緒に買うという人がいます。私も見習っている方法で、我が家には高さ180センチメートル、幅60センチメートルの同じサイズの大型本棚が18本、高さ90センチメートルの小型本棚が8本あります。いずれも規格を統一することで、整理がとても簡単になりました。最終的にどのくらい本が収納できるかの見積もりもラクにできます。

もっとも、いかに上手に整理しても、本があふれてしまうことはあるでしょう。知的生活をしていると、本はあっという間に増えていくものです。いろいろな識者が書いた蔵書術の本も読みましたが、ほぼ全員が同じ悩みを共有しているように思います。

これに関しては、有効な対策はないというのが正直なところです。私の場合、どうしてもあふれてしまった本は、段ボール箱に入れてクローゼットに押し込んでいます。

一つだけ言えるのは、仕事場に本をあふれたままにしておくのは、やめた方がよいということです。明らかに読まない本が机を占拠しているのは、勉強や仕事の邪魔以外の何物でもありません。基本的に本棚には、レファレンスブックや辞書も含めて、今稼働中のテーマに関する本が前面にあることが望ましいのです。

本の整理のために、必要以上に時間を使うのは無駄です。本好きの人は特にそうですが、整理に凝り出すと止まらなくなるものです。そんな時間があれば、段ボール箱に詰めてクローゼットに入れてしまうことです。

ある程度の見当をもとにクローゼットを探せば、だいたい目当ての本は出てくるものです。なお、探す時間はせいぜい5分10分なのに対して、整理には、1日2日使ってしまいがちです。極力手間をかけないというのがここでも大原則です。

▼「本の所有」を問いなおす

本の整理法については前著の刊行から10年間で大きな変化がありました。『理科系の読書術』（中公新書）と『読まずにすませる読書術』（SB新書）にノウハウを公開したのですが、以下では勉強法という視点で本の活用と整理について述べましょう。

読書は好きで大切と思っているが、本を読むのに疲れてしまっている方が増えています。また、ツンドク（積読）が増えるばかりで読み切れない人も少なからずいるのです。ここで、**本を持つことについての「発想の転換」を提案しましょう。**

今はそもそも本を大量に所有することに、さほど意味がなくなっています。ネット環境の進化で、たいていの本は驚くほどの短期間で入手できます。また、いったん手放した本でも、ネットを利用すれば買い直すことも容易になりました。よほどの稀覯本でもない限り、何でも入手できるのです。

よって、限られた住居スペースを圧迫してまで本を取っておく必要はなくなりました。したがって、どうしても手元に置きたい本だけを残し、なるべく家には置かないほうが現代的な生活となっています。ところが、読書好きの誰もが経験するように、それは思ったほど容易ではありません。

▼「愛蔵」を「死蔵」にしない

本好きはわかっていただけるでしょうが、空の本棚を用意してもすぐに埋まってしまいます。私も自宅の書庫が早い段階でいっぱいになったので、途中からはトランクルームを借りて本を保管していました。

ところが、風通しが悪かったため、本の表面にカビが生えてしまったのです。私は本を「愛蔵」しているつもりでしたが、実際は「死蔵」していたのです。

この事件に直面した私は、本の所有に対する考え方を変えました。どんな本でも死

蔵するよりも、多くの人に読んでもらったほうがずっとよい。そう考えた私は溢れかえった本を片っ端から古書店に引き取ってもらいました。

本を売ってしまったら仕事に支障が出るのではないかという不安は、確かに最初ありました。ところが、手放した本を再び使うことはほとんどなかったのです。これにはいささか驚きましたが、まさに死蔵していたという証拠でもあったのです。

実は、本を処分してよかったことも起きました。最初トランクルームに蓄積した本は全部売るつもりでしたが、整理していく中でどうしても持っていたいという本が何十冊も現れました。

つまり、自分に必要な本が見えたので、これこそ所有すべき書物だったのです。トランクルームへ死蔵したままでは分からなかったことです。本当に必要な本が見えてきたのは、予想外の収穫でした。

▼ハンドリングできる冊数

その後、私はいくつかの決心をしました。すなわち、「自分がハンドリングできる以上の本を持たない」ということです。

ここで「ハンドリングできる」とは、空間的な意味と時間的な意味の二つがあります。自分の持つ本棚以上の本は所有できません。つまり、物理的にハンドリングできる限界です。

同じように、自分の読書時間や年齢を考えると、時間的に読めない本を持っていても仕方がないのです。とにかく、自分がハンドリングできる量を基準として、本の整理をすればよいのです。こうすれば本を際限なく溜め込む事態から逃れることが可能になります。

第4章 知の武器である本の上手な選び方

優れた本は読むたびに新しい発見がある

▼「読む力」がすべての勉強の基本

本書が目指しているのは、最終的な成果＝アウトプットを意識した勉強のテクニックですが、言うまでもなく、何もないところからアウトプットはできません。アウトプットの質は、インプットの質によって決定づけられます。このインプットの基本は、第一に「文章を読む力」です。つまり、目標とする成果を達成するには、読書を避けて通ることはできないのです。

本は、人間が知性を書き残した物として、昔も今ももっとも効率の良い勉強の手段です。若いときから読書に親しめば、あらゆる情報を手に入れることができます。幅広いジャンルの書物をひもとくことで、教養の間口が広がるというメリットもあります。

何を読むかという読書の傾向は、読み手の人間性に反映されます。友人、あるいは異性の部屋をはじめて訪問する機会をもったとき、緊張感をもって書架に視線を注いだ経験はないでしょうか。そこで目にした1冊が、彼（彼女）の人物像を左右することだって珍しくありません。

しかし、最近の学生などを見ていると、自分に興味のある分野の本しか手に取らない傾向が強いようです。ちょっと会話すると、おそろしく知識が偏っていることに不安を覚えることさえあります。読書によって自分をどう構築しアピールするかという戦略に対して、あまりに無頓着ではないかと思います。

作家だけでなく多くの識者が、日本人に「読む力」が衰えていることを危惧（きぐ）しています。

そもそも「読む」行為は、ひとり読書にとどまらず、相手の気持ちを「読む」、あたりの気配を「読む」、将棋の手を「読む」ことにも通じています。つまり「読む力」の減退は、単なる「活字離れ」などという次元を超えた由々（ゆゆ）しき問題であるということなのです。

私が学生の当時は、岩波新書を読むのが当たり前という風潮がありました。毎月の新刊だけでなく、当時出ていた青版をさかのぼってどこまで読めるか、またそれ以前に出た赤版まで挑戦できるか、などを話題にしていました。

こうした教養主義的な空気は、今や望むべくもないのかもしれません。しかし、一方で、「読む力」が衰退しているという現状は、逆に読書をしている人のアドバンテージが高い（世の中で有利である）ことをも意味しています。

▼本は人生のチャンスを増やす

読書に関しては、まずは多読が基本と言えるでしょう。本は、人生でチャンスをつかむための触媒（しょくばい）です。触媒をたくさん持つことによって、何かのきっかけがめぐってきたときに、素速く反応ができます。本を読むことによって、社会を知るアンテナの数が増えるからです。

たとえば、少しでも絵画に関する本を読んでいれば、何かの展覧会のパンフレットを見たときに、「行ってみようか」と思い立つようになります。実際に展覧会に行けば、今度はもう少し詳しく勉強しようと、次のステップの読書にもつながるでしょう。読書の幅を広げることで、次の大きなチャンスをつかみやすくなるのです。

また、本の魅力は比較的価格がリーズナブルであり、簡単にいつでもどこでも読めるという点にもあります。文庫本を1冊でも手にすれば、そこで人生上の貴重なチャンスを一つ増やせるのです。

▼家賃・光熱費の次に書籍代を確保

本の最大の特徴は、投資する額に対して得られる利益がはるかに大きいという点ではないでしょうか。ですから本は出会ったらすぐに購入することです。飲み会や、飲み過ぎたあげくに利用するタクシーに支払う金額を考えれば、実に安い買い物です。読書ほどローコスト・ハイリターンな投資はありません。

むしろ、先に本に投資する額を確保してから、飲み会に参加するかどうかを検討しても決して遅くありません。理想をいえば、家賃・光熱費の次に書籍代を確保するくらいの優先順位でお金を使ってほしいものです。

たとえば、毎月何がしかの金額を本に投資すると設定してしまいましょう。仮に1万円を書籍代にあてれば、2000円の専門書を5冊、1400円のビジネス書を7冊、500円の文庫本であれば20冊は買える計算になります。

上手に買い分ければ、これは1か月の読書量を十分に満たす投資額だと思います。それに、毎週のように本を購入し続けるうちに、額に相応する選書眼が身についてくるのです。

最低1万円は本を買いなさい、などと言うつもりはありません。大切なのは、自分の経済状況に応じた範囲内で、家計の中に少額でもよいから「書籍代」を確立することです。月に500円であっても毎月本を入手し続ければ、いつのまにか自分のライブラリーができ上がってきます。

▼新刊本は一期一会

また、本は見つけたときに買うのが原則です。

特に新刊書店に置いてある本は、あきらかな供給過多のため、生鮮食料品なみのスピードで次々と入れ替わっています。きちんとメモしてフォローするならともかく、そのうち買えばいいなどとのんきに構えていると、二度と手に入らなくなる可能性が大です。

少しでも心にひっかかるものがあれば、買っておくに越したことはありません。「本は人生のチャンス」という言葉をもう一度思い起こしてください。

また、本は、言わば「文房具」の一種です。その使い方は後述しますが、書き込んで自分のノートとして活用するための物です。自由に「汚す」ためにも、まず所有する必要があるのです。

図書館や会社で購入してある物を借りて読んでも、学ぶという点からはあまり記憶に残らないものです。人間というのは基本的に貧乏性です。自分で購入した本には元を取ろうとする意識が働きます。懐(ふところ)を痛めたという事実を正当化するためには、本に書いてある内容を読んで生かすほか選択肢がなくなるからです。

数多くのビジネス書を出している本田直之さんは、1か月の書籍代に7～8万円ほどを使っているといいます。投資した額は必ず回収できると考えるからこそ、それだけの額を投じることができるのでしょう。

かつて日本経済新聞の行った調査で、月額の書籍購入費が多いほど年収が高いという結果が出ていました。すなわち、読書にかけるお金と時間が、年収に比例してくるのです。

本章の冒頭で述べましたが、同じお金をかけるなら、コストパフォーマンスの点で本がもっとも効率が良い手段です。セミナーや各種専門学校に行かなくても、たいていのことは本で勉強できるからです。得てして世の中には、本を1冊読めば何倍もの額を回収できること、あるいは何倍もの額を損せずに済むことがあるのです。

▼書店で世間の時流とニーズをつかめ！

読書に投資するためだけではなく、常に知的好奇心を失わないためにも、書店に行く習慣を持つことが大切です。

書店で積極的にさまざまな分野の本を覗（のぞ）いてみることはとても大切です。特に、自分の視野を広げてみるには絶好の機会となります。昼休みに外へ食べに出かけた際には、帰り道に書店に寄るという決まりにしてはいかがでしょうか。大きめの書店では、平台に並んでいる本が毎日違う、といったこともあります。

書籍は年間に7万点以上刊行されており、1日に直しても200点という数が毎日新しく出ている計算になります。目利きの本屋さんは、このような膨大な点数から世

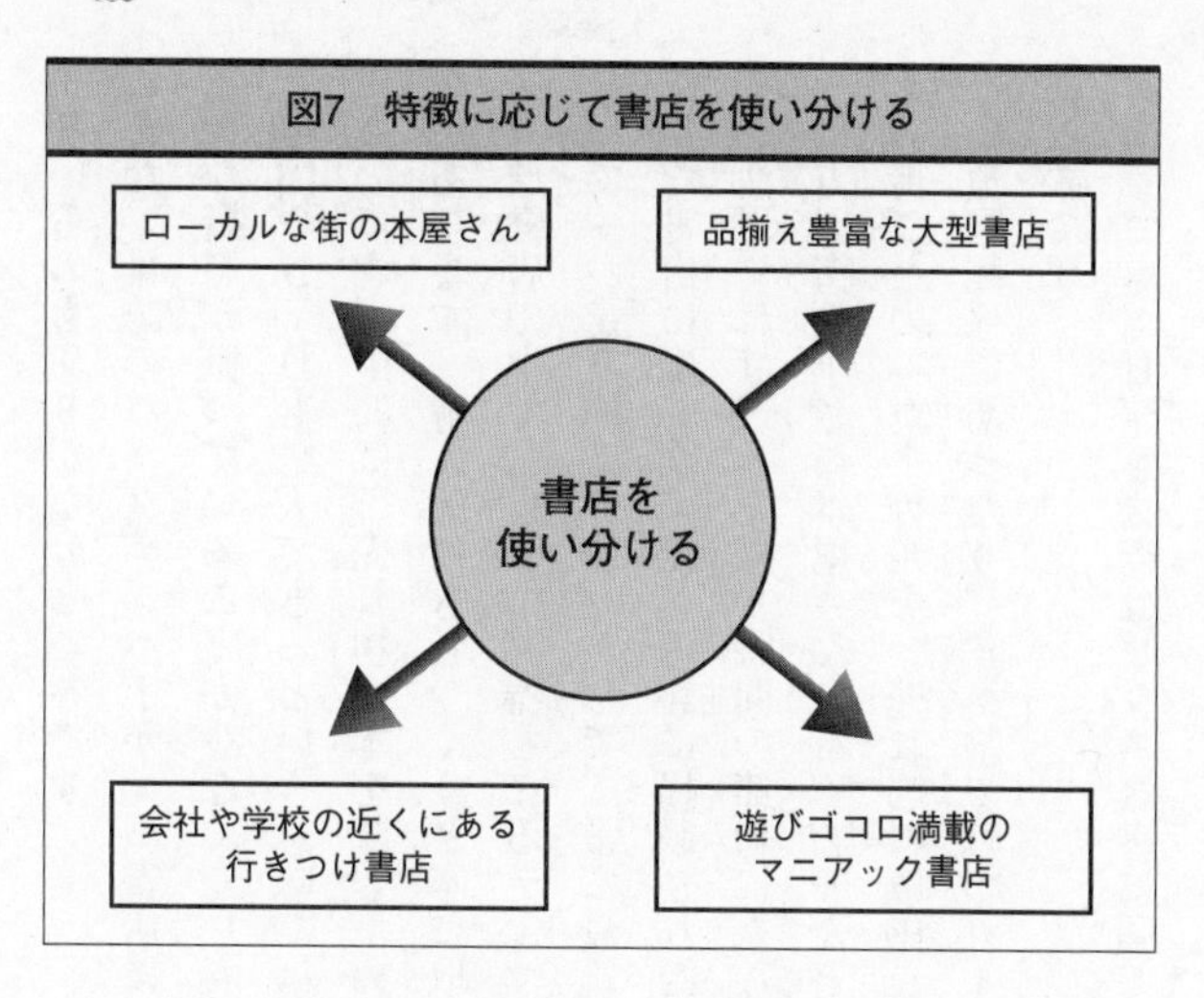

の中の動きに合わせて、的確に本を選んで並べています。この選択を見るだけでも、日本だけでなく世界の動きを知ることができるのです。

まず大型書店は、新刊書や専門書が豊富に揃っているのが魅力です（図7）。自分が調べたい近刊の本に関しては、たいてい見つかるというメリットがあります。

新書シリーズについても、現在流通している本に関しては、岩波、中公、ちくま、文春、ＰＨＰ、講談社現代、ブルーバックス、ソフトバンク、祥伝社、集英社、光文社、ＮＨＫ出版といったラインナップごとに創刊時から揃っているのもありがたいところです。

また、雑誌のバックナンバーが大型書店にあるのも大きなポイント。過去の雑誌に、重要な資料が眠っていることが少なくないためです。

地図やDVDも購入できるという意味では、大型書店は、効率的な資料探しにもってこいです。中には、売り物の本を読むために、机とイスをたくさん用意してある書店があります。購入前にもじっくりと本に取り組むことができるすばらしい場所です。

大型書店の中で、自分の武器となるテーマに関する書物を扱っている棚は、とくに大切です。定期的にチェックして、常に最新情報を把握しておくことです。さらにこうした書店には、全国紙の書評に掲載された本だけを並べたコーナーがあります。ここを活用すれば、本を探す時間の節約にもなります。

一方、街の小さな本屋さんにも、ちゃんとしたメリットが存在します。小型書店は、その街ごとの「ローカルな」売れ筋に敏感な品揃えをしています。京都であれば、京都の地図関係であったり、食べ物や庭のガイド本がもっとも目立つ位置に平積みしてあるのです。

東京でも、ビジネス街はビジネス書に強く、大きな病院の付近には医学書に特化した書店が軒を構えています。

また地方に行くと、その地域で出版された本に出会うことができます。郷土史の本やその県出身の作家の伝記など、都会ではなかなか見つけることのできない興味深い書籍があります。つまり、書店がその街に密着しているということです。

自宅や会社の近所に行きつけの書店を作っておくのもおすすめです。ぐるっと一回りできるくらいの広さが、ちょっとした時間に立ち寄るにはちょうどよいと思います。パッと目につく場所に平積みしてある本は、その週の売れ筋の本なので、必ず手に取ってみることです。好き嫌いはさておき、売れている理由を探ることで仕事のヒントが得られるかもしれないからです。私は世間の時流とニーズを、ふらりと寄った書店の店頭から把握することがよくあります。

▼お気に入りの「マニアック書店」を見つけよう

マニアックな書店も、実は掘り出し物の宝庫です。

特に京都は個性的な書店が数多いことで知られています。寺町通りの三月書房、白

ポリシーのある書店は読書好きの心をとらえて離さない

川通り一乗寺の恵文社、北白川のガケ書房が移転した浄土寺のホホホ座などです。

　こうした書店では売れ筋の新刊書が置いていなかったり、有名な雑誌が買えなかったりします。

　その代わり、あるジャンルに関しては絶版に近いような本が揃いで置かれ、マニアックな美術書や児童書や哲学書が泰然と平置きにされています。一瞬、専門古書店ではないかと錯覚するほどです。そのかゆいところに手の届く棚づくりが、読書好きの心をくすぐるのです。

「こんな本を置いて、私以外に誰が

買うのだ」と思わずにはいられないような本を買う。その楽しみも含めて、読書人たちは書店主の思惑に見事に引っかかってしまうのでしょう。

　しかも、その手の書店は、1か月後に訪ねてみると、棚をがらっと入れ替えていたりします。定期的に観察しているだけで、本に対する知的好奇心が刺激されるのです。

　また書店員が独自に作成したPOP（小さな紹介板）を見るのも、楽しみの一つです。「遊べる本屋」と評され、本だけでなく菓子や雑貨、ポスターなどサブカル色豊かな店づくりで知られるヴィレッジヴァンガードの各店舗などは、ユニークPOPづくりの最右翼でしょう。

　中には、「これは私が20歳のときに大きな影響を受けた本です」などと、まったく個人的な思い入れをしたためたものもあります。お客にとっては、本来どうでもいい情報ですが、不思議とそんな本を手にしてみたくなるのも事実です。「この本が好きだ。誰かに教えずにはいられない」という書店員の気持ちが、ストレートに伝わってくるからです。

　余談ですが、私はこういうマニアックな書店に、いつか自分の本が並ぶ日を待っています。マニアック書店の店主たちを意識して本を書いているようなところもあります。どうも、現状では火山学は彼らの関心を引いていないようです。火山学にもマニア心をとらえて離さないツボがあると思うのですが……。

▼駅の売店も見過ごせない穴場

意外なところでは、駅や空港の売店も見過ごせない存在です。置いてある本の種類こそ少ないのですが、ピンポイントにビジネスパーソンや旅行者向けの本が置かれています。スペースが小さい分、選りすぐりの新刊と話題書が扱われているのです。また、最近は駅のホームに本の自動販売機を置くユニークな取り組みも始まっています。調べてみると女性向けのエッセイを中心になかなかの売上を計上しているようです。品揃えを見ているだけでも、その街に働く女性の「空気」が感じられるような気がして、とても勉強になります。

▼古書店で本を見るのも勉強の一つ

古書店も情報源として欠くことのできない重みがあります。古本は何と言っても安く手に入るのが魅力です。軒先にある100円・200円均一棚も、めくるめく掘り出し物の醍醐味に満ちた空間だと思います。中には私から見て5000円でも売れそうな本が、100円均一棚から見つかることもあります。

私がよく購入するのは、文学書の初版本です。夏目漱石、森鷗外、永井荷風といった大御所の初版本を復刻した本が、500円や、ときには1000円の値がついていることもあります。この種の本は、明治期の装丁や活字などを知る上で、非常に興味をそそられます。

また、本書の第2章では、地方に出張したらなるべく歩くことをお勧めしました。私はそうやって歩いている途中に古書店を見つけると、最低30分は費やして本を見てしまいます。地方には地方でしか見つからない本があるからです。地方の国立大学の先生が手放したような、地域色豊かなすばらしい本に出会うことがあるのです。

大都市では手に入らない絶版本が、無造作に置いてあったりすることも少なくありません。私自身、東京でも京都でも見つけられなかった本が、鹿児島の古書店で3冊束にして売られているのを目にした経験があります。小躍りするような気持ちで購入したのは言うまでもありません。こういうときの嬉しさが、古書店チェックをやめられない大きな理由なのです。

本を買わないまでも、古書店で希少本を眺めてみるのも勉強の一つです。昔の本は1冊の価値が相対的に高かったのでしょう。現在では珍しい凝った造りの本が残されています。たとえば谷崎潤一郎の初版本や棟方志功の版画で「初版、函付（はこつき）」などがあったなら、目にしてみるだけでも文化の一端に触れたような気持ちになれます。

もし懐具合と相談して、飲み会を減らせば何とかなる値段ならば、思い切って購入してみるのも悪くありません。酒席は何も残りませんが、こうして買った本は一生の思い出と教養になるからです。

ただ、純粋に効率的な古本探しということでは、インターネット書店は最大の武器といっても過言ではない手段です。ネット書店では、古書店で絶対に見つからないような本が瞬時に手に入るからです。

私は仕事上に必要な古書は、まずインターネットで探すことから始めます。ちょっと味気ないことではありますが、時間の戦略を考えると仕方ありません。これもＯＫとしましょう。

リアル古書店で実際に本を探す楽しみは別にして、仕事や勉強上の文献として本を確実に買うためには、ネット書店を使うのが非常に有効でしょう。

▼図書館では「ふだん読まない本」を手に取ってみる

最後に図書館についても、触れておきたいと思います。図書館は書店とはまた違った魅力を持つ空間です。図書館は、絶版の本も含めてレアな本の宝庫です。

図書館へは、あらかじめ「何を探すか」を明確にして行くことがほとんどです。前もってインターネットで存在を確認してから出向いたり、図書館内のパソコンのデータベースで場所をきちんと突き止めて借り出します。

一方、さしあたって目的もなく書架を眺め渡すのも悪くありません。特に、児童書や焼き物など、まったく自分とは縁遠いテーマの本を手に取ってみると、意外に引き込まれてしまったりすることがあるのです。

写真の美しい大型本など、時間を気にせず眺め続ける楽しみもあります。残り全部を読みたいと思えば、借りてくることもできます。

ですから、せっかく図書館に行くのであれば、調べ物が終わったあとで、違う棚まで足を伸ばしてはいかがでしょうか。好奇心が満たされること請け合いです。

▼入門書は最低3冊に目を通す

では、書店で実際に本を探すとき、どこに着目すればよいのでしょうか。

何かを学ぼうとするときに、どんな入門書を選ぶべきか。良書との出会いが勉強意欲を左右するだけに、これは切実な問題と言えるでしょう。

良い本を選びたいと思ったら、まずは人の知恵を借りましょう。一番手っ取り早いのは、読みたいテーマに詳しい人から紹介してもらうことです。

人から薦めてもらった本を、書店に出かけて行って探してみる。それから、新聞や雑誌の書評を読んで、ちょっとでも心に引っかかった本は、手に取ってみる。最初から自分一人で本を探そうとしても、良い本に出会う確率は低くなってしまいます。まずは受け身の姿勢で、賢人たちのアドバイスに耳を傾けてほしいと思います。

そのうえで実践していただきたいのは、いかなるテーマでも入門書は最低3冊買う

という原則です。
1冊だけで学ぼうとすると、内容に偏りが見られるケースもあります。文章が自分のフィーリングに合わず、その分野に近寄りがたい感じがするおそれもあるでしょう。せっかく勉強してみようと思い立った気持ちがそがれてしまっては、何にもなりません。
入門書を3冊くらい当たってみると、同じテーマでも違った切り口で記述していることがわかります。専門家である著者は、自分の面白いと思った材料で本を書きますが、その材料が専門家によって異なるからです。3冊読むことで、多少なりともバランスよく概要がつかめます。また、1冊くらいは感動する良書に当たる確率がけっこうあります。

紹介された本であれ、自分で探した本であれ、3冊のうち、もっとも面白そうな本から読み進めましょう。もしつまらなかったら、どんどん切り捨ててもよいのです。どんな本であっても、数を読みこなすにつれ、段々と目が肥えてきます。次第にもっと違った切り口の本を欲するようになります。その分野に関する知識も増えてくるので、自分が何を知りたいのかもはっきりしてくるのです。

その結果、「いろいろ読んでみたら、最初は敬遠していた本が好きになった」という結論に達することもあるでしょう。読んで感動した本を、友人や職場の同僚に紹介するのも素敵なことだと思います。

大事なのは、本を読み続けるということです。「選書眼」というのは結局、読むことでしか磨かれません。本は人と同じく一期一会なのです。経験を積めば積むほど、良書に巡り会う確率が高まるのです。

▼「速く読めそうな本」から手に取ろう

ここでもう少し、書店での効果的な本選びについて考えてみましょう。一つのテーマの中から本を探すといっても、あまりに類書が多すぎるという問題があります。

パッと見て目に飛び込んでくるのは、カバーのデザインやタイトル、あるいは帯のキャッチコピーなどでしょう。たしかに面白い本のカバーは、不思議と手に取りたくなるような雰囲気に満ちています。

タイトルやキャッチコピーにも、作り手の「読んでもらいたい」という思いが込められています。秀逸な惹句（じゃっく）に、思わず手に取ってしまったという経験があるでしょう。

そこで困ったときは、まず、①「速く読めそうな本」を優先してください。

入門書はレファレンスブックと違い、一部分だけ引用して情報を得ればいいというものではありません。一通り読んではじめて全体像が把握できるものです。その点、小説を読むのと同じようなものです。

執筆者である専門家も、小説とはいわないまでも、ある程度入門書にストーリー性を持たせて、読者に全体像を把握してもらえるような仕掛けを施しているわけです。

全部読んでこその入門書です。だから、安価でページの少ない本から手に取ってかまいません。まず文章力があり、わかりやすく説明してある本から選ぶのです。もしビジュアルものが自分には親しみやすいということであれば、ビジュアル中心に編集された本から読み始めるのも立派な戦略です。

▼売れている本には理由がある

タイトルに「イラスト解説付き」「早わかり」「すぐに役立つ」「速解」「図解」などの枕詞がついた本であれば、初心者向けにわかりやすくなるように編集上の工夫が施されています。社会人に必要と思われる分野を網羅して、シリーズ化している出版社もあります。

お気に入りのシリーズを見つけて読破していくのも、実力アップに役立ちます。また、ハードカバーよりも、ソフトカバーの本から選べば「お手軽度」が高い仕様になっていることが一般的です。

次に、②著者のプロフィールも判断材料として重要なポイントです。「○○の第一人者として絶大な人気を誇る」といった表現は、実際のところ検証不可能です。ところが、ていねいに著者のプロフィールを読むと、おおむね事実に即した略歴が確認できます。

同じ分野で複数の本をものしている著者であれば、出版社からの評価が高いと推測できます。この手の著者は、その分野について書き慣れているので、内容がわかりやすいことが多いのです。

そして、本には最後に「奥付（おくづけ）」と呼ばれるページがついています。本の発行日を記しているページです。奥付を見れば、本の新しさだけでなく、売れ行きの多少も見当がつきます。

そこで、**③奥付を見て版を重ねている本を優先してください**。やはり、ある程度版を重ねた本は、読者から安定した支持を集めていることの証拠でもあります。ここに著者のくわしいプロフィールやこれまで刊行した本のリストが載っていることもあります。意外にも奥付は手に取った本に関する情報の宝庫なのです。

そこまでチェックすれば、かなりの絞り込みができたことでしょう。あとは、**④文章のフィーリング**です。

少し読み進めば、フィーリングに合った文章かどうかが確認できます。ベストセラー作家だからといって、自分のフィーリングに合う文章とは限りません。もしこの本を買ったとしたら、最後まで読み通すことができるか、といった直感も大切なのです。

私は理系ということも影響しているのか、たとえば加藤周一のような論理的な文章を好む傾向があります。彼は医学博士でもあり、直ちに英語に訳せるような科学的な筆致が特徴的です。

一方、文学者でいうと、泉鏡花（いずみきょうか）（１８７３－１９３９）の文体はちょっと苦手です。幻想的な作品で知られる小説家ですが、どうしても詩歌のような美文が頭に入ってこないのです。

だからといって、泉鏡花の評価をおとしめるものでは決してありません。あくまで私自身の感性であり、感性は人それぞれ違うものだからです。

なるべく早く、自分の感性に合う優れた書き手を探し出すことです。好きな著者が見つかったら、これほど嬉しいことはありません。感性に合う本を開拓することで、読書スピードも加速していきます。

▼新書ほどぜいたくな入門書はない！

先に入門書を3冊購入するようにアドバイスしましたが、1冊くらいは新書を混ぜることをお勧めします。

新書には、第一級の専門家によるすぐれた入門書が目白押しです。比較的安価なことも魅力の一つです。私自身も、新たに接する分野へのとっかかりとして、書店にずらりと並んだ新書から手に取ってみることが少なくありません。

新書には、歴史的に啓発書として果たしてきた役割があります。専門家が最先端の知見をわかりやすく伝える努力を試みてきたのです。そこには教養の底上げが日本人にとっていかに大切かという、先人たちの痛切な思いが詰まっていると思います。

私自身も、新書を執筆する機会が与えられたときに、火山について一般市民に最低限知ってほしいことを、自分なりに工夫しながらレベルを落とさずに執筆しました。そんな作品のいくつかが『火山噴火』（岩波新書）、『マグマの地球科学』（中公新書）、『富士山噴火と南海トラフ』（ブルーバックス）です。

また岩波新書には、「ジュニア新書」、ちくま新書には「プリマー新書」という、対象読者である中高生にとっての「教養の扉」として位置付けられるレーベルがあります。

「ジュニア新書」や「プリマー新書」では、内容的には一般的な新書のレベルを維持しつつも、中高生が興味を持つようなメッセージを伝えています。考えてみると、「ジュニア新書」や「プリマー新書」こそ、もっとも高度な表現が求められる出版形式ではないかとさえ思います。

私が執筆した『地球は火山がつくった』(岩波ジュニア新書)や『地学のツボ』(ちくまプリマー新書)の場合、すべての章の難読漢字にルビ(振り仮名)を振るという試みを行いました。新書では通常、一つの漢字にはその本の初出時にルビを振るだけで、2回目以降に同じ言葉が出てきたときには、ルビは振らないという決まりがあります。しかし、中高生は1日や2日で1冊の本を読み終えるとも限りません。ある程度時間が経って後半の章を読んだときに、漢字が読めずに理解が滞ってしまうことも考えられます。もしかすると、将来、火山学を学ぼうとする人材が、この本を手に取るかもしれません。

だから、どうしても最後まで読んで火山に興味を持ってほしい。そんな熱意を編集者に伝えたこともあって、全部の章にわたって少しでも難読と思われる漢字には、くり返しルビを振ってもらったのです。

そして、文章の説明だけではイメージしにくい難しい概念については、一目で見て火山や地球の活動がわかる図解ページを工夫して充実させました。

そこまでして作った「ジュニア新書」や「プリマー新書」ですから、大人が読んでもためになるはずです。現に、「ジュニア新書」や「プリマー新書」を一般の成人が読んでいるという統計データもあります。

特に文系の人は理系の「ジュニア新書」や「プリマー新書」を、また理系の人は文系の該当シリーズを入門書の3冊に混ぜる、というのが良いでしょう。

▼不得意な分野は児童書を見よ

勉強のとっかかりに子ども向けの本を入門書として選ぶことは、恥ずべきことでも何でもありません。国民的作家として知られる司馬遼太郎（1923―1996）は、自然科学系のテーマについて調べるときには児童書から読み始める、とエッセイに記しているくらいです。

司馬さんは、『竜馬がゆく』『坂の上の雲』『菜の花の沖』という、海が重要な舞台となる小説を執筆するにあたり、海や船の原理を知ろうと試みます。その際、少年・少女用の科学書をできるだけたくさん読みこんだといいます。児童書は一流の学者が明快な文章で書いているので、もっとも効率的な情報ソースになりうるというわけなのです。

あえて難解な本を読まなくても結構です。新しい分野に「入門」するわけですから、格好をつける必要はまったくありません。わかりやすい本から取り組むのが鉄則なのです。それが児童書でもまったく問題ありません。

私自身、『火山の大研究』（ＰＨＰ研究所）という全ページカラーの子ども向けの本を作ったのですが、貴重な写真をふんだんに入れたので、むしろ大人の読者が多いほどです。

特に入門書は、難しいと思ったら読むのをやめましょう。せっかく新書を手にしても、難しいと感じる本に出くわすことがあるかもしれません。

著者の中には残念ながら一般読者向けに記述する技量と意欲に欠けている人も見受けられます。加えて、「新書ブーム」と呼ばれ出したころから、濫造（らんぞう）の傾向に拍車がかかっているのも事実です。

ここで自分の読解力を疑う必要はありません。もし難解だと感じたら、「著者の書き方が悪い」と断言してもよいくらいです。無理だと思ったら、それ以上読むのをただちにやめて、別のわかりやすい入門書を探せばよいのです。

私はいつも学生たちに「難しい本は、書いた人が悪い」と言っています。本や著者に義理立てすることは一切ありません。

1冊の入門書についていけなくても、決して落ち込まないでください。実際のところ10人の読者がいれば、ぴったりの入門書は10冊あってしかるべきなのです。これだけ本が出ているのですから、自分に合った入門書は必ず見つかります。マイ・オーサー（my author）を発掘するためにも自分に合う本をぜひ渉猟（しょうりょう）してみてください。

第5章 最強の「知的生産」読書術はこれだ

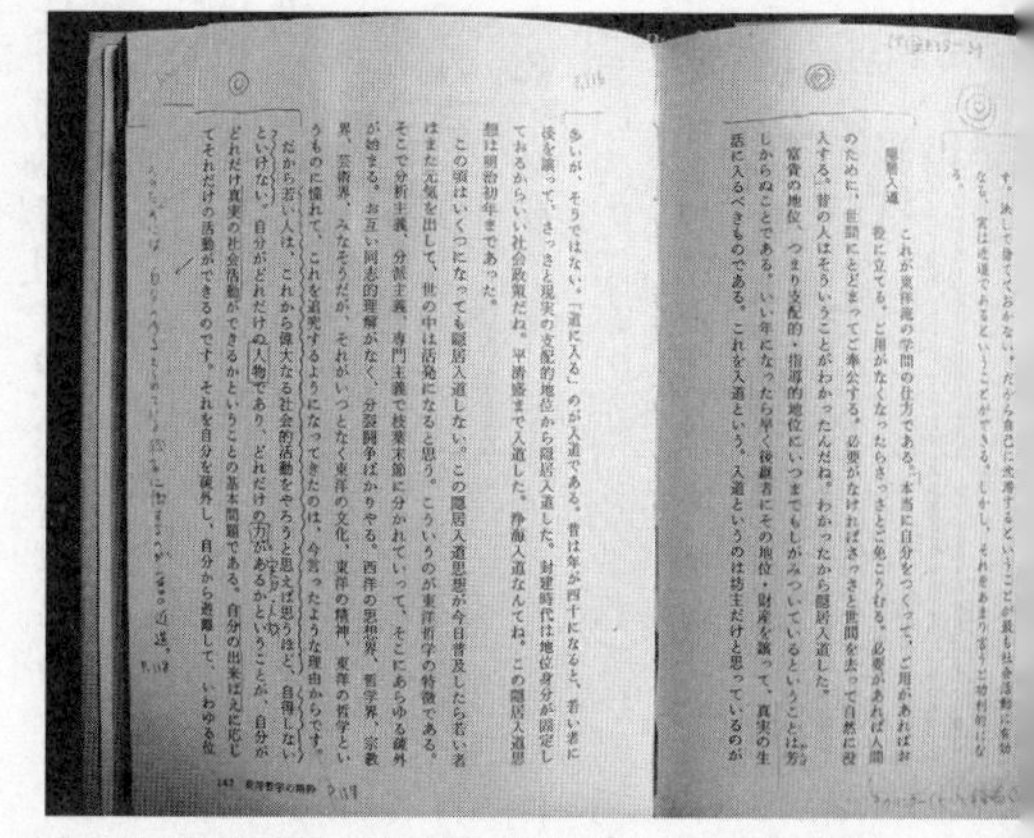

す。決して捨てておかない。だから自己に充満するということが最も社会活動に奉仕

なる、実は近道であるということができる。しかし、それをあまり言うと功利的にな

る。

隠居入道

これが東洋流の学問の仕方である。本当に自分をつくって、ご用があればお役に立てる。ご用がなくなったらさっさとご免こうむる。必要があれば人間のために、世間にとどまってご奉公する。必要がなければさっさと世間を去って自然に没入する。昔の人はそういうことがわかったんだね。わかったから隠居入道した。

富貴の地位、つまり支配的・指導的地位にいつまでもしがみついているということは芳しからぬことである。いい年になったら早く後継者にその地位・財産を譲って、真実の生活に入るべきものである。これを入道という。入道というのは坊主だけと思っているのが多いが、そうではない。「道に入る」のが入道である。昔は年が四十になると、若い者に後を譲って、さっさと現実の支配的地位から隠居入道した。封建時代は地位身分が固定しておるからいい社会政策だね。平清盛まで入道した。浄海入道なんてね。この隠居入道思想は明治初年まであった。

この頃はいくつになっても隠居入道しない。この隠居入道思想が今日普及したら若い者はまた元気を出して、世の中は活発になると思う。こういうのが東洋哲学の特徴である。そこで分析主義、分派主義、専門主義で枝葉末節に分かれていって、そこにあらゆる疎外が始まる。お互い同志的理解がなく、分裂闘争ばかりやる。西洋の思想界、哲学界、宗教界、芸術界、みなそうだが、それがいつとなく東洋の文化、東洋の精神、東洋の哲学というものに憧れて、これを追究するようになってきたのは、今言ったような理由からです。

だから若い人は、これから偉大なる社会的活動をやろうと思えば思うほど、自得しないといけない。自分がどれだけの人物であり、どれだけの力があるかということが、自分がどれだけ真実の社会活動ができるかということの基本問題である。自分の出来ばえに応じてそれだけの活動ができるのです。それを自分を疎外し、自分から逃離して、いわゆる位

142 東洋哲学の精粋

本にはどんどん書き込んで「文房具」として使おう

▼ビジネス書は全部を読み通さなくともよい

さて、いよいよ具体的な読書法に移りたいと思います。

最初にお伝えしたいのは、初心者向けの入門書はともかく、ビジネス書などは、最初から最後まで読み通す必要はないということです。

目的に応じたところを探して、そこからページを繰っていけばよいのです。もっともモチベーションが高い内容から読み出すと、思ったよりラクに読書がスタートできます。

まず、目次をよく眺めてみましょう。いちばん先に目次に目を通せば、優先して読むべき部分を特定できるため、時間短縮に効果的です。これは「インデックス法」というテクニックです。おしまいの方に索引が用意されている場合には、これを使います。同様に、索引を活用してキーワードでピックアップしていくのです。

章タイトルと中見出しを押さえれば、要旨はだいたい把握できます。人体で言えば、章タイトルが骨格であり、中見出しがそれらを形作る頭部や脚部などのパーツといったイメージでしょうか。

特に中見出しは、目次に掲載されないこともありますが、本の内容の要約として位置付けられる大切な要素です。中見出しだけ拾い読みしても、本の全体像が明確になります。

また、たとえばビジネス書などには、単語や一文を太字で強調しているものがあります。この太字部分を追っていくと、重要な部分だけを拾い読みできます。本書もこうして作ってあります。

同様に、２ページ見開きで１項目ごとに編集されている類の本には、末尾に「ポイント」などと称して要点を短くまとめているものがあります。どれもこれも、わざわざ著者や編集者が設けてくれたアピールポイントです。活用しない手はありません。

▼理解できない箇所にぶつかったときには

本を読んでいて、理解できない箇所にぶつかることがあります。こんなときも、飛ばし読みしても一向に構いません。「棚上げ法」という、効率的に読むためのれっきとしたテクニックの一つです。

心配しなくても大丈夫です。実際には、棚上げして読み進んでも、本というのは最後まで読めばだいたいの内容をつかめるようにできているのです。私に言わせれば、一般的に難解とされる哲学書でも、長編の文学作品でも、「棚上げ法」で読んで問題なし、です。世の中で棚上げ読みができないのは、おそらく数学書くらいのものでしょう。ということは、世の書物のほとんどは飛ばし読みできるということなのです。理解できるところだけを読んで吸収すれば、じゅうぶんに本1冊分のモトは取っているといえるでしょう。むしろ難しい本に挑戦するときには、最初から棚上げ法を意識して読んだ方が効率的だと思います。

棚上げ読みをしていくと、次第に全体の構造が見えてきて、著者が伝えたかったメッセージがわかります。いつの間にか、疑問がひとりでに氷解するような感覚です。あとから考えれば、いちいち棚上げした部分にこだわらなくてもよかったことに気付くのです。

本当に重要な本であれば、もう一度読み直せばいいのです。そうすれば、一読目に棚上げした箇所が、二読目にはきちんと理解できるようになるでしょう。

いずれにせよ、1冊で何か一つでも得るものがあればよしとしましょう。1行でも役に立てば、本は買っておいて損はない、と常々私は考えています。齋藤孝さん、佐藤優さん、立花隆さん、中谷彰宏さんなど本の読み手が著書の中で同じ主張をされていたので、意を強くしました。たった1行の文章が、自分の人生を変えることもあるのですから。

▼線を引く、書き込む……本は文房具として使い倒せ

ここからは読書で本に書き込む方法について考えてみましょう。

中学生や高校生のころ、教科書や参考書に蛍光ペンでラインを引き、内容を暗記した経験は、多くの人が持っているのではないでしょうか。当時は、線を引いたり書き込みをすることで、教科書の中身を自分のものにしようと必死だったはずです。

大人の読書でも、その原理は同じです。一般書を読むときでも、参考書のように線を引いたり書き込むことで、はじめて知識が自分のものになるのです。

手に入れた本は、自分なりに手を加えることを意識しましょう。カスタマイズする、

と表現してもよいかもしれません。

まずはオーソドックスなところから、鉛筆で書き込みを入れてはいかがでしょうか。注目すべき文章に線を引いたり、カッコでくくったり、四角で囲んだりするのです。余白にちょっとした感想やメモを書き込むのもよいと思います。

重要なページの端を折っておく方法もあります。折ったページを開けば、気になった箇所を簡単に見つけ出せます。「使える本」は折ったページによって全体に厚みが増すので、時間がたってからでも一目瞭然です。この方法は電車の中で本を読む際にも使えます。

ところで、線の引き方にもコツがあります。大事な内容を要約しているような箇所に線を引く場合と、現在の自分の仕事に有益なところに引く場合と、「おや」「へぇ～」と単に面白がったところに引くケースです。

それぞれには大事な目的があるので、意識して線を引き分けます。

線の色を変えて引くのも良いでしょうが、1本の鉛筆やボールペンでも直線、波線、二重線などと、自分でルールを決めて引いてもかまいません。

本に線を引くということでは、3色ボールペン活用法をご存じの方も多いと思いま

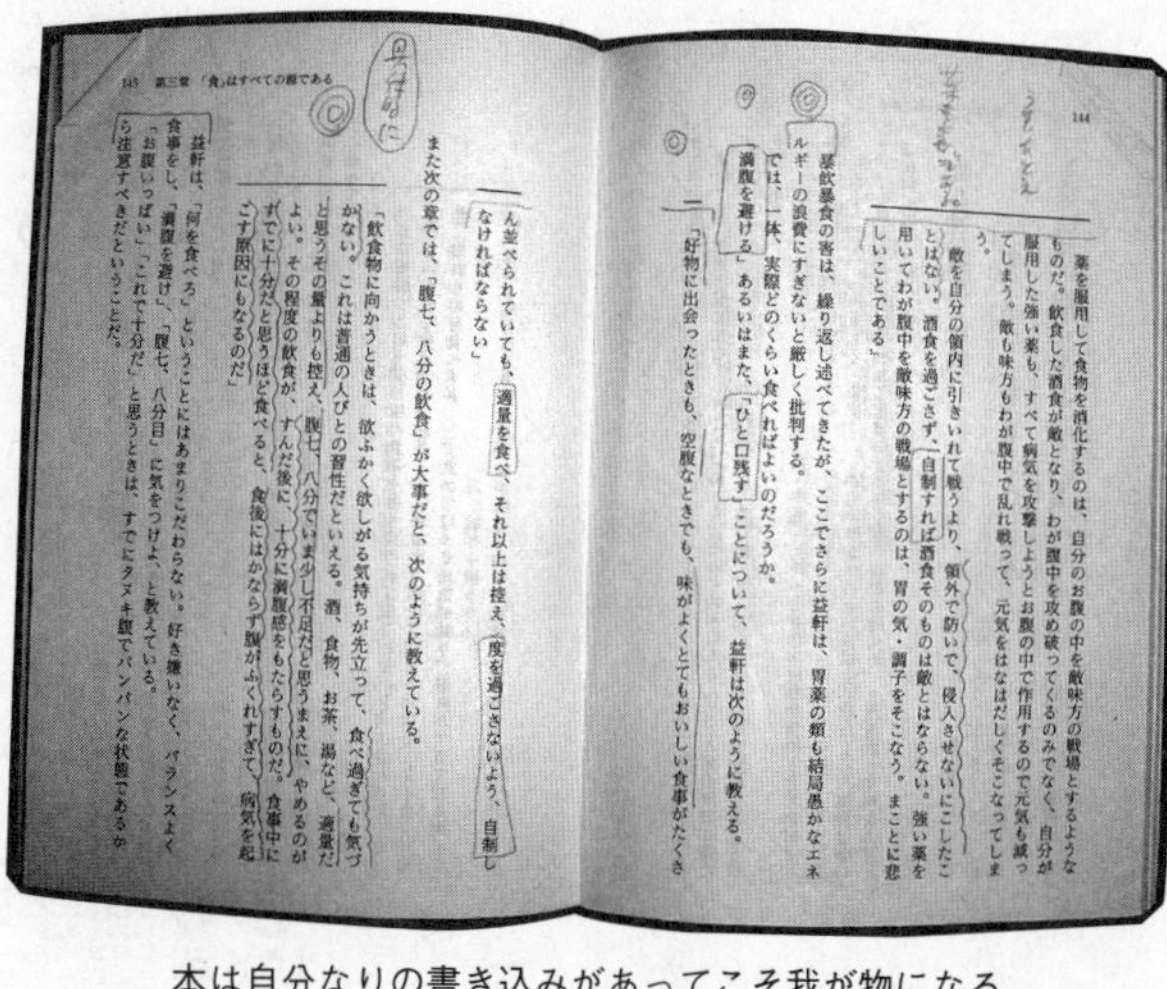
144

薬を服用して食物を消化するのは、自分のお腹の中を敵味方の戦場とするようなものだ。飲食した酒食が敵となり、わが腹中を攻め破ってくるのみでなく、自分が服用した強い薬も、すべて病気を攻撃しようとお腹の中で作用するので元気も減ってしまう。敵も味方もわが腹中で乱れ戦って、元気をはなはだしくそこなってしまう。

敵を自分の領内に引きいれて戦うより、領外で防いで、侵入させないにこしたことはない。酒食を過ごさず、自制すれば酒食そのものは敵とはならない。強い薬を用いてわが腹中を敵味方の戦場とするのは、胃の気・調子をそこなう。まことに悲しいことである」

暴飲暴食の害は、繰り返し述べてきたが、ここでさらに益軒は、胃薬の類も結局愚かなエネルギーの浪費にすぎないと厳しく批判する。

では、一体、実際どのくらい食べればよいのだろうか。

「満腹を避ける」あるいはまた、「ひと口残す」ことについて、益軒は次のように教える。

「好物に出会ったときも、空腹なときでも、味がよくとてもおいしい食事がたくさん並べられていても、適量を食べ、それ以上は控え、度を過ごさないよう、自制しなければならない」

また次の章では、「腹七、八分の飲食」が大事だと、次のように教えている。

「飲食物に向かうときは、欲ふかく欲しがる気持ちが先立って、食べ過ぎても気づかない。これは普通の人びとの習性だといえる。酒、食物、お茶、湯など、適量だと思うその量よりも控え、腹七、八分でいま少し不足だと思うまえに、やめるのがよい。その程度の飲食が、すんだ後に、十分に満腹感をもたらすものだ。食事中にすでに十分だと思うほど食べると、食後にはかならず腹がふくれすぎて病気を起こす原因にもなるのだ」

益軒は、「何を食べろ」ということにはあまりこだわらない。好き嫌いなく、バランスよく食事をし、「満腹を避け」、「腹七、八分目」に気をつけよ、と教えている。「お腹いっぱい」「これで十分だ」と思うときは、すでにタヌキ腹でパンパンな状態であるから注意すべきだということだ。

145　第三章「食」はすべての源である

本は自分なりの書き込みがあってこそ我が物になる

す。『声に出して読みたい日本語』などを著した齋藤孝さんが提唱している読書法です。

3色ボールペン活用法は、本を読みながら、重要だと思うところには赤、やや重要だと思うところには青、自分が面白いと思ったところには緑の線を引いていくというものです。ユニークな方法であり、試してみる価値はあると思います。

ただ、あまり色を使い分けることに気を取られると、頭脳のパフォーマンスが落ちてしまう懸念があります。統一性とか規格化というのは、クリエイティブな活動にとっての最大の敵なのです。

「こうしなければ」と思うほど、人間の頭というのは硬直してしまうものです。3色ボールペン活用法というのは、あくまで齋藤メソッドです。どうしても色の使い分けが気になり読書に集中できないように感じたら、何も3色にこだわる必要はありません。

本を読んで感動したら、基本的には赤でも青でも鉛筆でも線を引いてしまえばいいのです。感動した箇所を区別したければ、「感」と書いてマルで囲んでおくだけでも十分です。

要するに、本を読んでいて頭が働きはじめたら、その動きをストップすることなく、手持ちの文房具で思い浮かんだ内容をすぐに紙の上に定着させてしまうことが大切です。そして自分にもっともフィットする方法を編み出せばよいのです。読者の方それぞれのオリジナルメソッドを見つけてみてはいかがでしょうか。

▼線を引く箇所の変化を楽しもう

ところで線を引く箇所は、時間とともに進化していきます。たとえば、昔読んだ本をあとで読み返したときに、まったく別の箇所に感心することがあるでしょう。それと同じように、勉強が進むにつれて、本の上に線を引く箇所が変化してゆくのです。最初に読み通したときには、本の著者が力説しているポイントに引くことになるでしょう。著者の頭の動きに素直にしたがって読み進める方が、早く頭に入るからです。

一方、二度目に読むときには、自分にとって大事なところに線を引く箇所が出てきます。ときには著者の考えに異論を唱えたくなったような箇所に線を引き、自分の反対意見を余白に書き記しておきます。

もし、さらに3回目に読むことになったら、今度は友人や恋人との会話で使う面白いネタとしての箇所に線を引くかもしれません。

私の場合には、市井の風物を取り上げたエッセイの材料がこうして集まってくることも多々あります。たとえば、路上観察学会を立ち上げていた赤瀬川原平さんは、街を歩いていて普通の人が気づかない面白いものを見つけて洒脱なエッセイに仕立てる名人でした。彼なら何を読んでも、この3番目の線引きで本がいっぱいになるに違いありません。

時間とともに進化するのは、人生だけではありません。手元にある何でもないような1冊の本も、こうして自分とともにどんどん進化していくのです。

▼瞬時に「検索可能」な本に仕立てていく

カスタマイズの一種として、「クロスレファレンス」という手法もあります。「互いに引用し合う」という意味であり、情報を効率的に抽出するための優れたシステムです。索引と似ているようですが、たくさんの用語間の関連性を見つけていくのが特徴です。

何だか高度なテクニックのように聞こえるかもしれませんが、実は極めて簡単です。要は「本とメモ用紙の一体化」ということです。よく、本の感想をメモ用紙に書いたり、気になった箇所を抜き書きすることがあるでしょう。あれを一元化しようという発想であり、自分なりに、本に直接どんどんページ番号を書き込んでいくというシステムです。

たとえば、哲学書であれば、本文中に出てくるある大事な言葉「理性」に印をつけ、

「理性」と関連する言葉「感性」が登場するページを記入しておきます。

次に、該当する「感性」のページにも、最初の「理性」が記されたページを書き込みます。つまり、どちらのページを開いても、関連する用語にジャンプできるというわけです。のちのち短時間に検索できるので大変に重宝します。

こうしておけば、ページの余白に書いた自分の感想や批評などを検索することも可能です。表紙に続く扉ページなどの余白を活用して、書き込みのあるページ、書き込みの関連用語のページを「理性／感性（p. 58, p. 79）」などと記入します。あとからすぐに情報が参照できるという仕組みです。

クロスレファレンスは、関連する用語が一つ増えるにしたがい、記入すべき箇所が倍々ゲームで増えていくことになります。

逆に言えば、リンク先が多いほど、芋づる式に情報が引き出せます。どんどん使い勝手がよくなって自分だけが所有している本になるのです。

ここでのポイントは、きれいに書こうとか、表記を厳密に統一させることに労力は使わないこと。**最小限のスタイルが確保されれば大丈夫なのです。**

クロスレファレンスは、あくまで自分のためのカスタマイズです。自分が素速く検

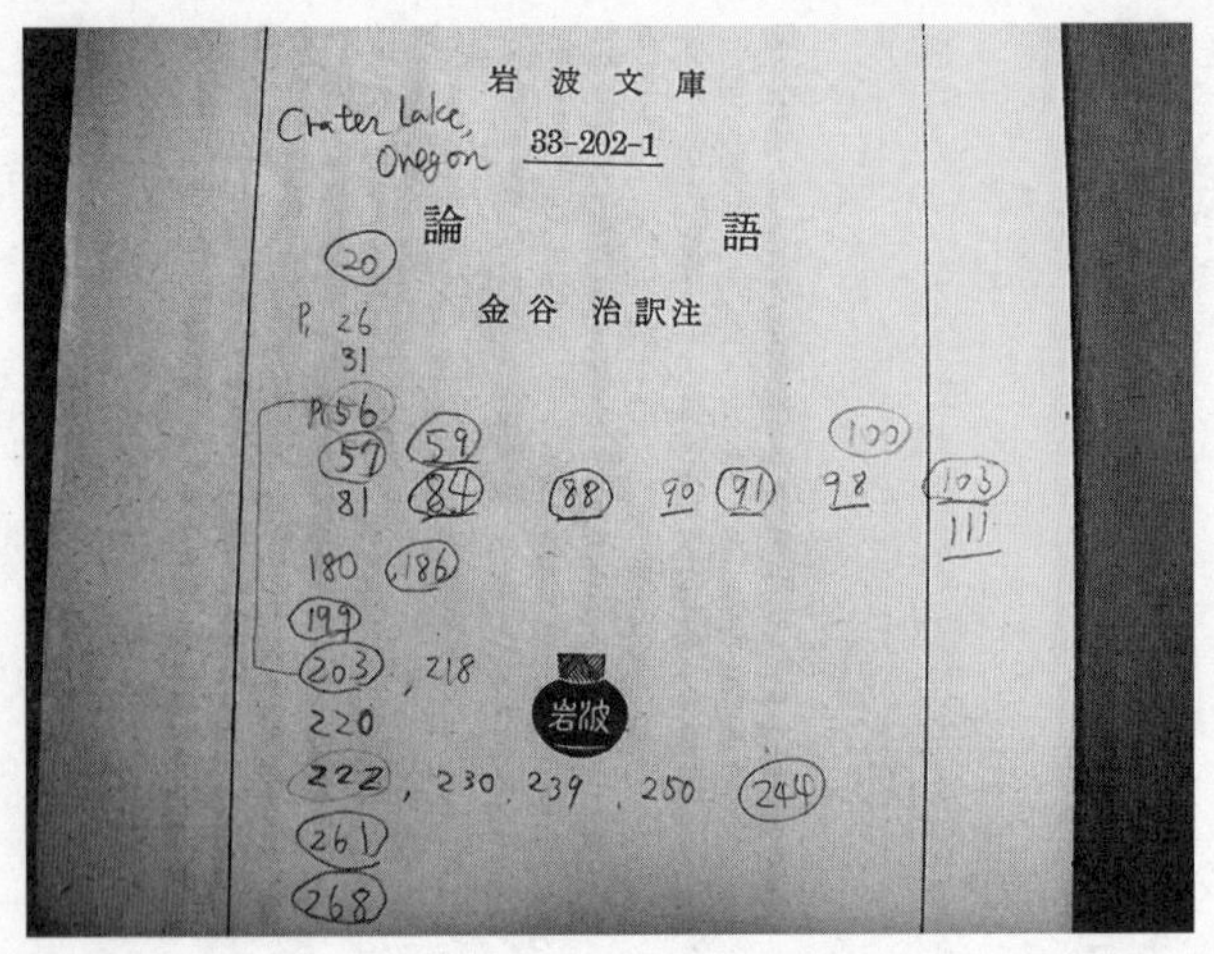

クロスレファレンスの一例

索できることが第一で、それ以上でも以下でもありません。どの用語を拾い上げるかも読み手の目的次第です。したがって、読み手によって「クロスレファレンス」の仕様はさまざまというわけなのです。

ちなみに、クロスレファレンスは紙の本で行ったアナログの手法ですが、電子書籍でももちろん可能です。しかし、私の経験では、紙のページ上のクロスレファレンスのほうが、付帯する情報に触発されるチャンスが多いように感じています。

つまり、関連する用語の情報だけでなく、自分の感想や思いつきやイラストなどが記されたページを見ることで、新たなアイデアが生まれたりするのです。よって、読者の皆さんの好みに応じて、紙の本と電子書籍を使い分けていただければよいと思います。

▼読めば読むほど違う世界が見えてくる

勉強の手段として不動の地位を築いている読書ですが、何に対しても万能であるとは限りません。

いかなる情報でも無批判に受け容れるのはリスクがあります。本の中で説得材料として頻繁に持ち出される統計数字などは、ちょっとした算定方法の違いで、まったく違う結果が導き出されることもあります。自分なりの考え方を確立していないと、そのとき声の大きな人間に都合よく操られる可能性が生じます。その点は心しておくべきだと思います。

ビジネス書などでも、「批判的読書」の方法が紹介されるのをよく目にします。読書のレベルをアップさせるためには、たしかに重要なスキルでしょう。

ただし、とここであえて前置きしておきたいことが私にはあります。

読書の初心者マークを付けている人は、最初は耳触りのよい本だけを読んでもまったく問題ないということです。最初からレベルの高い読書をしようと、難読書に対する猜疑心を変に強くするよりも、この方が、よほど成長の近道を歩めるのです。

というのも、10冊も続けて耳触りのよい本を読んでいると、自分にとって読みやすかった本が、次第にもの足りなく感じられるようになってくるのです。歯ごたえのない本は徐々に、しかし確実に飽きてくるからです。

本はテレビと違って読み手のペースで情報を摂取する分、「考える」という要素が大きくなります。つまり、本を読めば読むほど思考の時間を得るということになります。

好きだった本が、おそろしく陳腐に感じられたりする。もっと違う語り口の本はないのかという欲求があふれてくる。児童読み物に熱中していた少年が、いつしか文庫本の魅力にも気付くのと同じです。そこから自分なりの知性による読書の幕が開きます。その過程こそが、人間の理性を発揮した状態と言えるのではないでしょうか。

ここで試しに、これまでとは違う切り口の本を読んでみると、「やっぱりすごい」

と圧倒される。年季の入った読書家には当然のようなことでも、自分にとっては大発見かもしれません。しかし、その思いがけずも発見したという経験は、何物にも代え難いものです。背伸びをしてチャレンジして本当に良かったとなるのです。

ですから、読書の初心者は、基本的には自分を勇気づけてくれる本を最初に選んでください。まず本から勇気を得ることの快感を味わってください。本から得られる勇気が、もっと複雑で奥深いものであるのを知るのは、それからでも決して遅くはないのですから。

その上で著者の意見を鵜呑(うの)みにしない読書をしたいのであれば、「書いてある意見に賛成か反対か」「文章の流れに無理はないか」などを鉛筆でチェックしながら読み進めるとよいでしょう。結果的に読書レベルを上げるには、数多く読むのが最も近道ということになるのです。

▼古典を読む意義は「退屈」にアリ

読書が話題になると、しばしば「古典を読むように」というテーマが出てきます。

ここで古典の読み方についてアドバイスしておきたいと思います。効率的に人生勉強をするには、何をおいても古典を読むべきだからです。

というと、「効率重視の勉強に、なぜ古典なのか？」といぶかる読者がいるかもしれません。古典は古くて退屈なもので、およそ現代社会に生きる上で効率とは無縁の代物だと思ってはいないでしょうか。

古典とは、文字通り古い典籍から成り、長い年月にわたって時のふるいにかけられ残った書物です。ここには耳を傾けるべき教えがたくさん詰まっているのです。

たとえば、人生のあいだで危機におちいったときにも、古典に当たれば、自分の抱えている問題がそこに繰り返されていることに気づくはずです。人のつきあい方に関する深い知恵を学ぶこともできます。

私は『論語』を読み始めたのをきっかけに、中国の古典に目覚めるようになりました。仕事でいつもお世話になっている直属の上司から読むのを勧められたこともあり、アメリカに留学する際に、『論語』を1冊持っていくことにしたのです。

アメリカへの留学は2年間の予定。そのあいだ日本とはあえて距離を取って、グローバリズムと欧米の価値観にどっぷり浸かってみようと考えていました。『論語』には日本を含めて東洋のエッセンスが詰まっています。自分が育ってきた文化を確認する上で、この1冊があれば十分。そんな感覚で携えていったのを記憶しています。

安易に「昔は良かった」という話をするつもりはまったくないのですが、有能なビジネスパーソン、とくに第一線で活躍する経営者には時間を無理に作ってでも古典を読もうとする姿勢が浸透しています。

たとえば、経営者から大学学長に転じた出口治明さんは、古典から歴史書まで幅広く渉猟（しょうりょう）した結果、歴史解説書を多数著す教養人として活躍しています。また、作家の佐藤優さんは、国際関係の現在を知るには、地政学の「古典」を読むのが一番であると述べています。

たしかに古典はむずかしそうで退屈である、というのは事実です。ときには、何千年も昔の話を根気よく読んでいかなければなりません。ただ、**退屈の良さを知る**というか、**退屈に慣れることも必要なスキルではないか**と思います。先の齋藤孝教授は、ものごとに上達するためには「退屈力」という大事な能力があることを述べています。

現代のメディアを見ていると、刺激を与えることで受け手の興味を引くのが常套（じょうとう）手段となっています。その代表的な例がテレビです。視聴者をあおり立てた挙げ句の、健康番組の捏造疑惑なども記憶に新しいところでしょう。スキャンダルを売りにする雑誌に関しても似たり寄ったりです。

しかし、古典はそのようなことを一切しません。読者に迎合することがないので、初心者にはなかなか一筋縄ではいかないかもしれません。たしかに古典は取っつきにくく、安易に読み手を招き入れない堅苦しさがあります。

しかし、古典は時には退屈でありながら、偉大な真理を必ず持ち合わせています。それを知っている人たちが、長い時間をかけて非常な努力を傾けて古典を後世へ伝えていったものなのです。

もし古典の中の、退屈な要素を全部排除して、偉大な要素だけを選び出して合わせたら古典になるかというと、残念なことにそうは問屋が卸しません。退屈な部分に人生や世界に関する本質を衝く説明が含まれているからです。というのは、古典の書物自体が、その中に試行錯誤の過程を含んでいるからです。

このプロセスを追体験することも、古典を理解する大事な一部なのです。このような仕掛けがあるからこそ、古典を読み込むことから偉大な結論や発見が浮かび上がる楽しみが生まれてくるのです。

▼世界の名著は「さわり」だけでも読んでおく

その意味で、古典は1ページ目から飛ばさずに読むというのが、基本的には正しい読み方です。時間がかかってもよいから、丁寧に味わいながら読むのです。

とはいえ、大人の読書には、あまり悠長なことを言っていられない事情もあります。読むに値する古典作品の膨大な数に対して、我々に与えられた時間は実に短いものです。

手短に古典の世界に触れたいときに、使えるテクニックがあります。たとえば、中央公論新社の名著シリーズ「中公クラシックス」で、冒頭に用意された解説部分だけを読むというものです。また、岩波文庫や講談社学術文庫、ちくま学芸文庫、光文社古典新訳文庫であれば、巻末の解題や解説に先に目を通します。

名著シリーズの多くには、「ケインズ」であれば、ケインズの略歴や学問的な位置付け、主著のあらすじなどをわかりやすく解説したページがついています。それを読むだけでも、読まないよりは十分に価値アリと言えるでしょう。

ここに目を通すうちに、特に気になった考え方を発見したところで、本編の原著をじっくり読み始めればいいのです。

解説やあらすじだけを読むのも大事であり、全部を読むのも大事。一見矛盾しているようですが、両方ともに成り立つのが古典とのじょうずな付き合い方なのです。

私が選んだ古今東西の50冊の古典について、そのエッセンスと読みどころを『座右の古典』（ちくま文庫）にまとめてあります。また、古典ほど評価は定まっていないが現代の名著とも言える「中古典」を、『理学博士の本棚』（角川新書）に12冊ほど紹介しました。まずはこのような古典ガイドから読み始めてみる、という入門方法もぜひ試してみてください。

▼新聞は「見出し」と「出だしの5行」で十分

社会人である以上、世の中の流れを最低限知っておく必要があるでしょう。その手段として、新聞は一定の効力を持っています。昨今はインターネットニュースのトピックスを見るだけという人も増えているようですが、ネット情報のみに頼るのはちょっと考えものです。

たしかにネットの記事は、ホットな項目をリアルタイムで知るためには活用できます。私の専門に近いところでは、火山が噴火したり地震が起きると、ネットニュースやツイッターではほぼタイムラグなしで情報がアップされます。

それはそれで大変貴重な情報なので、緊急時には常時ネット上の動向に目を光らせることになります。

ただ、通常は、情報は1日1回確認すれば十分です。また、基本的にネットニュースは背景や理由が省かれてしまっているので、それ以上理解が深まらないという難点があります。テレビのニュースも、一つのテーマの放映時間が短いので、テレビ映りの良い内容しか伝えてくれません。また、受け身のままでは、必要のない情報まで見せられるデメリットもあります。

とはいえ、新聞も入念に目を通せばよいというものではないのです。よく新聞1日分のボリュームを表すたとえとして「新書1冊分くらいの情報が詰まっている」と表現されることがあります。往々にして、「だから新聞を精読しよう」という文節と結びつけて語られるのですが、私はあえてこう提案したいと思うのです。

「新聞を隅々まで精読するヒマがあったら、新書1冊を読んだ方が有意義ですよ」と。

私が新聞を読むのは1紙、しかも1日10分までです。

会社の社長や役員には、毎朝主要5紙に目を通すという方がいます。仕事上必要だからそうしているのでしょう。

しかし、新聞1紙を読めば、世の中の流れはおおよそつかめます。

まず、1面に書いてある記事をざっと読みます。1面には各紙とも主要記事のインデックスが付いています。それを見れば、どんなことが起こったのか、だいたい察しがつきます。ここまでで、約5分。

次に、インデックスから判断して気になった記事に目を通す。自分の専門分野や追いかけている事件の記事が特集されているときには、もう少し時間をかけて読む必要があるでしょう。ただ、基本的には合計10分もあればおつりが来ます。

ほかに一読をお勧めしたいのが、新聞の出版広告欄です。新聞に広告を掲載するには、相応の広告料がかかります。そのため出版社も、「売れている本」か「絶対に売りたい本」をよりすぐって宣伝するのが常です。

出版広告を見ていると、今世間では何が面白いとされているのかがわかってくる、というわけです。余裕があれば、記事を読む10分とは別に、さっと目を通すとよいでしょう。

朝日新聞における「天声人語」のような一面のコラムは、出だしの5行だけ読みます。5行も読めば何が書いてあるか見当がつきます。面白いと思ったら最後まで読みますし、そうでなければストップします。

同様に、社説も見出しだけ読めば十分です。大切なのは、「新聞社が今日の社説に何を選んだか」を知ることなので、内容は時間がなければ読まなくても構いません。

それに、そもそも社説の見出しには、結論が書いてあります。たとえば、社説にはひんぱんに「国は○○すべき」などという見出しが躍っています。そうすると、「××新聞社は、国は○○すべきと考えているんだな」という方向性がわかります。

結局、全文を読んでも得られる結論は同じなのです。それならば、10文字の見出しを読むにとどめて、あとは新書や単行本でも手にしたほうが、よほど密度の濃い、自分にとって本当に必要な情報を得られるというものです。

ちょっと乱暴なようですが、常に自分の持ち時間戦略を考えながら情報収集にあたっていただきたいと思います。

▼切り抜きをクリエイティブに活かすワザ

　さて、新聞を読んで重要だと思った記事は、すぐに切り取っておきましょう。第3章で解説した1枚ごとに独立して使うルーズリーフに貼り付けて、資料を作成するためです。

　また、私は切り取った記事を、その内容に関連する手持ちの本にはさみ込んでおきます。たとえば、ファーブル『昆虫記』の書評は手もちの『昆虫記』の中に、また吉本隆明に関する論評は彼の著書にはさんでしまうのです。

　方法としては、切り抜きの余白に日付を記入し、朝日の場合は大文字の「A」、読売では大文字の「Y」、また朝刊の場合は小文字の「m」、夕刊では「e」と書いておきます。「Ae」「Ym」などと表記するわけです。毎日新聞は、「Mm」「Me」となります（図8）。

　読んですぐに切り取ってもいいのですが、1週間分ためてから週末の空き時間に片付けるのも効率的です。夕食後テレビをボーッと見ている時間に終えてしまっても良

図8　紙面にマークしておけば整理がラク

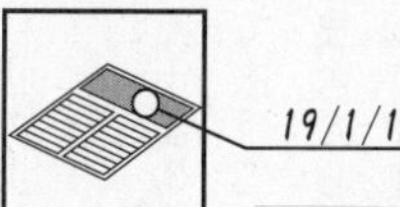

余白に日付、新聞社、朝刊・夕刊を記号化しマーク

※１週間ためてから一度に片付けても効率的
（切り取るべき記事の一覧をマークしておく）

いでしょう。

その場合、チェックした新聞紙の1面の余白に切り取るべき記事の一覧をマークしておくと便利です。たとえば「3下」となっていると3面の下、「2×2」は、2面に二つ記事がある、という具合です。

こうしておいて、あとで3面を開けば、日付と「Ｍｅ」などのチェックが入っているので、一目瞭然です。作業がぐっとスムーズになります。

同じ方法がネットニュースについても使えます。ネットニュースは基本的にＰＤＦで保存します。それをテーマごとのフォルダに入れて整理するのですが、量が増えてくると入れっぱなしで後で何も見ないことになります。

そこで、本当に使う必要があるニュースは、PDFをプリントアウトしておきます。またニュースの文章に対して後で作業が加わるような場合には、ニュースの本文をテキストファイルに落として保存します。

こうして作ったPDFやテキストファイルの紙を、関連する本にはさみ込んだり、作業中の書類にまとめたりします。

ここでPDFの余白に、先ほどのように日付や出典を記入しておくのです。こうしておくと、机の上で作業を開始するときに自分が見つけたネットニュースが一望できます。

もちろん上記の仕事はパソコン上でも可能ですが、私の場合は机の上に関連する資料をすべて広げて、それらを概観しながらアイデアを練ります。そして何らかのひらめきが生まれたら、それを直ちに資料の上に書き込みます。

そのためにも重要な情報は必ずプリントアウトしておくわけです。すなわち、情報の取得（つまりインプット）にはネットを利用しデジタルに整理しますが、アウトプットのためのクリエイティブな仕事はアナログの環境で行います。このようなデジタルとアナログの併用を、自分の勉強法を確立する上でそれぞれ工夫していただきたいと思います。

▼雑誌は「しぼって読む」のが効率的

情報源として新聞と並んで取りざたされる雑誌ですが、刊行点数がおびただしく、あれもこれもと追い求めていると、情報を消化しきれなくなります。

そこで、総合月刊誌と自分の専門や関心事に関する雑誌だけにしぼって読むことをお勧めします。月刊誌や隔週誌は世界情勢を知るために最適です。総合月刊誌の論文には著者の労力が投入されており、必然的に質の高い情報を得ることができます。後に、著書となってまとめられるような力作が入っていることもあります。

『文藝春秋』『中央公論』『世界』『正論』『Wedge』などの月刊誌は、興味のある記事が掲載されたときに購入します。電車の中吊り広告を見れば、あらかじめどんな識者が何をテーマに書いているのかがわかります。興味があれば新聞広告を切り抜いておきます。実際に書店でぱらぱらとめくってみて、本当に面白そうと思ったらレジへ持っていくわけです。

もちろん気に入った月刊誌を定期購読するのも悪くありません。ずっと読み続けるのは、「継続」という面からもお勧めできる勉強法です。

ただ、気を付けてほしいのは、自分の判断で購読を申し込むということです。あまり気がすすまないのに、人から薦められたからと無理やり購読しても、ツンドク（積読）状態が続くだけで、お金とスペースの無駄にもなりかねません。

週刊誌では、『AERA』『Newsweek日本版』の記事は、新聞とは違ったニュースの掘り下げ方が参考になります。『週刊東洋経済』『週刊ダイヤモンド』『日経ビジネス』などのビジネス・経済誌も、気になった特集号を買って損はない雑誌です。また隔週刊の『プレジデント』や『婦人公論』も読みごたえがあるのでお薦めできます。

季刊誌では、『kotoba』（集英社）の面白さが光ります。豪華な執筆陣もさることながら、特集や執筆テーマの設定に、何と言いましょうか、大人の余裕が漂います。なお、季刊誌は勉強のためと言うよりは、むしろ教養のために読むものです。即効的なニュース性を求めるのとは別に人生の豊かさを得ることを自覚した上で手にとってみてください。

▼書評という最強メディアを活かさない手はない

ところで、たいていの雑誌には、巻末近くに書評が掲載されているので、本を選ぶ際の参考になります。また、土曜あるいは日曜の新聞朝刊にも書評コーナーがあります。多くの書評は内容を的確にまとめてくれるだけでなく、現代社会の問題点を鋭く指摘してくれるので、こうした「硬派の書評」を読むだけでも参考になります。

しかし、すべての書評が価値ある情報かというとそうでもありません。ときには掲載する本の基準がいい加減で、仲間うちから頼まれたり、学会のボス著者への忠誠心をあらわすのが見え見えという例もあります。さらに自社本を紹介する厚かましい「宣伝書評」も散見されます。要は、書評の世界にもビジネスの現場と同じく資本主義的な人間関係が存在していることは知っておいて損ではないでしょう。

一方では、本気で世の中に良書を推薦する熱意に満ちた書き手もたくさんいます。たとえば、佐藤優（さとうまさる）、印南敦史（いんなみあつし）、内田樹（うちだたつる）、永江朗（ながえあきら）、斎藤美奈子（さいとうみなこ）、森山和道（もりやまかずみち）、日垣隆（ひがきたかし）、佐倉統（さくらおさむ）、渡辺政隆（わたなべまさたか）、香山（かやま）リカ、池内了（いけうちさとる）、内村直之（うちむらなおゆき）、山内昌之（やまうちまさゆき）などの諸氏は私の好きな書評子です。

また、成毛眞（なるけまこと）さんが立ち上げ私も参画しているHONZメンバーの方々も、たいへんユニークな書評を発表しています。内藤順（ないとうじゅん）編集長のもとで東（あずま）えりかさんをはじめとする本読みの達人が、「本当に読むに値する本」をほぼ毎日紹介しているのです。あらゆる分野の書籍に関する情報をいちはやく伝えてくれる、良書を探し求める私たちにとって最強のサイトです。

世の中には分野を問わず、優れた書評を長年地道に書き続けている著者が少なからず存在し、私はいつも尊敬しています。このような場合には、書評だけを集めて後に1冊の単行本にまとめられることがあります。

書評の出来の善し悪しについては、書籍とまったく同じように、読者のみなさんが書評をたくさん読みこむことによって培われてきます。新聞雑誌に書評が掲載されているのを見たら、必ずサッと目を通すことから始めていただきたいと思います。

こうして自分にとって「ヒット率の高い」書評欄・書評子が見つかるのは、とても楽しいことなのです。

書評の世界と本の世界は、実はリンクしています。書評の出来を的確に判断できるようになれば、本に関する鑑識眼も上昇します。プロの書評を読んだ後で本を買ってきて読了してみると、まったく異なる感想が生まれることもあります。新聞雑誌の書評をこうした観点で読み直していただきたいと思います。

なお、気に入った記事を書いている著者の名前をメモしておき、インターネットで検索してみましょう。アマゾン、ｈｏｎｔｏ（丸善ジュンク堂書店と提携している）、紀伊國屋書店などの検索サイトでは、著者の出しているすべての書籍を知ることができます。

現在刊行している本は売れている順番に見ることができますし、品切れや絶版本でもタイトルはわかります。このなかにどうしても読みたい本があれば、古書店のサイトで簡単に注文することもできます。

こういったプロセスから、前述した自分だけのお気に入りの著者に巡り逢うことができます。電車の中で雑誌を読むときにも同じです。記事を読み飛ばして終わるのではなく、人生を切り拓く次の出会いのために読む習慣をつけてほしいと願っています。

▼「読まずにすませる」時短読書術

私が普段教えている京大生にも、〝本に読まれている〟人は少なくありません。人生を豊かにするための読書で消耗してしまうのは本末転倒です。必死に読むだけでは知識が頭に死蔵されるだけなのです。その反対に、余裕を持って読むことで、読んだ内容が身につきます。

時には「いかに読まずにすませるか」という発想も必要です。ここで役に立つのは「絵画的読書」という読み方です。たとえば、美術館で絵画を鑑賞するときには、自分の好きな絵だけを飛ばしながら見たりするでしょう。

それと同じように、目次などで一冊の本の全体をまず見渡して、必要なところだけつまみ食い的に読む読書法が「絵画的読書」です。

この「絵画的読書」と対になる読書法は、「音楽的読書」です。音楽は最初から最後まで楽曲が流れるままに聴いていきます。これを同じように、本の1ページ目から順々に読むのが「音楽的読書」です。小説など、純粋に読むことを楽しむ本に合います。

そして「絵画的読書」は「音楽的読書」と比べて圧倒的に短時間で読み終えることができます。ビジネス書や専門書など大半の本はこうして読むと良いのです。その反対に、小説を読むようにビジネス書を頭から終わりまで読むのは、全くムダな読み方です。

最初に全体を見て、ページの順番を無視して必要なところだけをチェックしてください。本の隅を折って印を付けるのもよいでしょう。いま自分に必要なノウハウや技術を得るために読むのですから、一冊から3つの知識を得ればもう十分と考えてください。

「絵画的読書」の具体的なコツには、次の5つのステップがあります。

①先に前書きと後書きを読む

前書きや後書きには、本に書かれている内容、どういう読者に向けて書いたのか、などがコンパクトにまとめられています。さらに、巻末の解説には、類書と比べて何が新しい内容か、そして書き終えてからの著者の感想などが記されています。

これらを先に読むことで、本の全体像をつかむことができます。よって、本を手にしたら、まずこうした箇所から読み始めるのです。

本屋に行っても同じ事をします。たとえば、表紙を見て興味を持ったら、立ち読みの段階でこれらの項目をチェックします。そして自分にとって必要な本かどうかの選択をスムーズに行うのです。こうすれば、必要でない本を間違って買うことがありません。

②文章がスッと入らない本はやめる

そもそも本は、内容の8割を既に知っているからこそ、残りの2割の未知の部分を理解できるのです。

その反対に、初めての内容が8割もあったら、読み進めるのにたいへん苦労します。知らないことが次々と頭の中に蓄積していくからです。

また、文体などで自分と相性が悪い本もあるでしょう。よって、未知の内容が多すぎたり、スムーズに頭に入ってこないような本は読むのを止めましょう。

③目次を見て読まない章を決める

読むと決めて購入した本でも、「一部だけ読めばよい」という意識を持って読み始めます。まず目次を一覧して全体の構成を確認します。そして自分にとって必要と思われる章だけを選ぶのです。さらに章立ての順番とは無関係に、優先順位の高い順から読み始めます。最大のポイントは「本は全部読まなければならない」という思い込みを捨てることです。

④「結論」と「太字」を先に読む

読むと決めた章についても、何が言いたいのかを先につかみます。その章で伝えたい大まかな結論を頭に入れてから読み始めれば、理解がスムーズにいくからです。たいていの章で結論は最終の段落近くにまとめてあります。

さらに本文中に太字で示してあることもあります。親切な本では章末に箇条書きでまとめが列挙してあります。たとえば、拙著『座右の古典』（ちくま文庫）では、取り上げた50冊の古典を解説した最後に「３行で要約！」を付けました。よって、各章の１行目から読むのではなく、章末付近や太字を先にチェックしましょう。

⑤気づきを3つ得たらそこでやめる

本を読む時間や集中力は有限なので、一冊の本から全てを吸収しようとしてはいけません。むしろ、そのように読むのは欲張りというものです。

たとえ面白かったとしても、有用な知識を3つ得たらそこでひとまず本を閉じましょう。本から得た知識を定着させること、さらに活用することのほうがずっと大切です。

先ほども述べたように、人間は内容の8割を既に知っているレベル感の本でなければ、スムーズに理解できません。そして残りの2割の中から3つ得たら、それで十分なのです。

▼ラクに読書を続けるテクニック

さらに読書の効率を上げるには、テクニックが3つあります。

①読書の時間は無理に確保しない

読書を習慣化しようとして、先にスケジュールに入れる人が少なからずいます。ところが、こうしてしまうと読書が辛く感じられ、かえって遠ざかってしまうものです。読書の初心者にはある程度必要かもしれませんが、読書が義務となるようなシステムはできるだけ避けたほうがよいでしょう。

それよりも常に本を持ち歩き、ふと気が向いたらすぐ読めるようにしておきましょう。**読書に集中したくなったら、その時を逃さないようにします。**私は「スキマ法」と呼んでいる時間術ですが、隙間の時間に読むほうがかえって本の内容が頭によく入ります。

②本棚は「満タン」にしない

本好きの人ほど本棚は満タンになってあふれがちです。そうなると新しく買った本をしまうスペースがなくなり、本を自由に出し入れできなくなってしまいます。結果的に、手持ちの本を自由自在に活用し、アウトプットにつなげる作業がたいへん億劫（おっくう）にもなります。

私は本棚の2割は空けておくことを薦めています。これが「バッファー」となって、

本の移動と整理が楽に行えます。そのためにも定期的に、当面不要な本を手放すことが大切です。これについては、第3章で述べたことを参照してください（144ページ）。

③同一ジャンルは3冊読んだらやめる

読書好きは同じジャンルの本をたくさん買い集めて、できるだけ多く学ぼうとします。たとえば、勉強法に関して何十冊も持っている人がいます。

しかし、現実には1ジャンル当たり3冊読めば、内容はほぼ網羅されるものです。それ以上の本は漁らなくてもよいのです。これは同系統のビジネス書を複数買い込む癖がある人に、特に注意していただきたい点です。

よって、同一ジャンルは3冊読んだらやめる、そして一冊の本からは3つ得たらやめる、ということを実行してみてください。

ここに挙げた5つのステップと3つのテクニックを使って、ラクに読書を続けてほしいと思います。そもそもスイスイ読めない本は、あなたに向かない本なのです。

また、著者と読者の相性というものもあります。自分に合わない本はすぐやめるのが、ムダな読書をしないコツです。空いた時間は他の本を読んでみるのもよし、他の活動を始めるのもよしなのです。

▼あなたは本に「読まれて」いないか？

読書術の後半に、「読まずにすませる」読書の技術についても述べておきましょう。たとえば、本が大好きで「詰め込み」に偏りがちな読者の皆さんにこそ、「足るを知る」「今、ここで」を生きる勉強法を提案したいのです。それによって、情報過多の時代を賢く生き延びることができるのです。

本を読むことが目的となってしまう弊害は、読むほどに思考しなくなっていく点にあります。とくにこの弊害が及びやすいのが先にも挙げたビジネス書です。

仕事の役に立つスキルや思考法を伝授してくれるビジネス書には、ある種の中毒性があります。目新しいノウハウや成功哲学が出てくると、今より能率が上がるのではないか、何かいいアイデアが得られるのではないかと、つい手が出てしまう。アマゾ

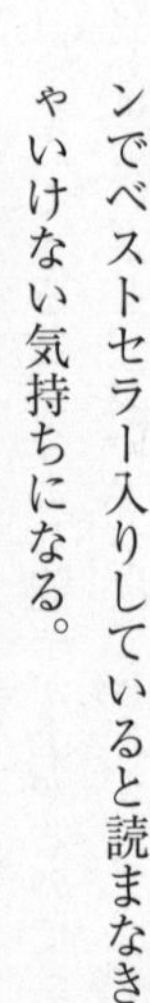

ンでベストセラー入りしていると読まなきゃいけない気持ちになる。

気がつけば星の数ほど読破して、頭の中は知識でいっぱい。なのに、なかなか成果につながらず、新たな本にまた手が伸びてしまう。こうしたエンドレスにはまりこんでいきやすいのがビジネス書です。

ここで、ドイツの哲学者ショーペンハウエル（１７８８―１８６０）の言葉を紹介しましょう。人生を浪費する、とは彼の言葉でもあるからです。

『読書について』（岩波文庫）という本の中でショーペンハウエルは、「読書は、他人にものを考えてもらうことである。本を読む我々は、他人の考えた過程を反復的にたどるにすぎない」ので、ほどほどにせよと述べ、「まる一日を多読に費やす勤勉な人間は、しだいに自分でものを考える力を失って行く」と警告を発しています。

本を読むこと自体が目的化すると、その人は「本を読んでいる」のではなく、「本に読まれている」状態になってしまいます。先ほど、本は人生を豊かにするために読むものと言いましたが、それには数行でも自分の心の琴線に触れた文章を見つけて味わったり、著者の言葉から思索して自分なりの見方や考え方を確立したりといった作業が重要になります。

ところが多量に読むことでものを考える苦労をしなくなり、他人の思想に頼るだけとなって考える力をなくしていく危険性もあります。これが「本に読まれてしまう」状態です。

▼「なぜ本を読むのか」を立ち止まって考える

ショーペンハウエルが言うように、本を読むことはその時間著者に頭を貸すことです。その時間は他のことを何もしていません。考えることも、おいしいものを食べることも、もしかしたら旅行することもできるのに、それをしていない時点で、読書の時間がじつは人生の他の時間を奪っているともいえるのです。

また本が増えるということは、本を探す時間も盗られていることになります。検索して本を探し、全部のレビューを読んで買うかどうかを考えたり、古本屋や新古書店で本を探したり、そうした時間も人生の時間から削られます。

他の人生の時間を読書が奪っているのではないか。そこに気がつかないと読書のための読書術、本を整理するための整理術と、本のための本を求めるようになり、本の渦の中から抜けられなくなります。

本のために費やす時間はすべて他の時間から失われていっているのだという視点をもって、自分の読書を考えてみる。本に溺れる、本に読まれている状態はムダにムダを重ねているのではないかと考えてみる。

本を読むことが本当に皆さんの人生を豊かにしていってくれるように、本が好きな人、本を読む喜びを知っている人ほど少し読書から離れ、このように自分を俯瞰して「なぜ本を読むのか」を考えてみてください。ビジネス書好きの本読みほど、読むことが目的となり、本に読まれている状態に陥りやすくなります。そうなっていないか、立ち止まって振り返ってみることも大切です。

▼自分の「今、ここ」を棚卸ししてみる

足りないものに目を向けていると、「この本は読んでおかないとまずい」が増えていきます。「こういう本ぐらい目を通しておくべきじゃないか」「これぐらいの教養書は読んでいないと恥ずかしい」といった見栄も生まれてくるでしょう。

けれどもその中で、「これを読まなきゃ人生困ります」という本は、おそらくほとんどないはずなのです。

なぜなら、これからの人生において必要な概念と知識は、既に自分がもっている本、これまでに蓄えたもので何とかなってしまうからです。つまり「ブリコラージュ」（今あるもので済ませる方法）で対応できるということです。

まずは「自分が読んだ本は何か」「自分が持っているものは何か」を棚卸ししてみてください。それにはすべての蔵書を一望してみることも大切です。一望すると「これを読んでいるから、これはいらない」が見えてきます。

その作業をしていくと、いつか読むと思って数年が経過してしまった本が出てきたりもするでしょう。

そこでまた「いつか読むだろう」にしてしまうと、次にその本を見つけるのはさらに数十年先になります。その時点で「今読もう」にならない本は、今の自分に必要のない本なのです。

読まなくていいかどうかを判断するときの基準が、この「今、ここ」の考え方です。すなわち読書のムダを減らすには、「Here and now（今、ここで）」の考え方でいくことが大事なのです。

読書好きの多くは、「過去どのくらい読んだか」「過去何を読んでいないか」、あるいは「将来のためにこれを読んでおこう」などの過去や未来を軸にして本を読もうとします。

しかし、「この先○○するために読んでおく」「いつか役に立つだろう」のように、将来の担保を目的に読んだ本の内容は、その先もまず活かされることはないのです。

今、ここで納得しないことは記憶にも残りません。

私は京大で学生たちに、「授業のノートは取らなくていい」と言っています。講義内容を逐一ノートに書き留めても、そのノートの出番はほとんどないからです。

試験前に見返したとしても、試験が終わればその途端に書かれていた内容は忘れてしまいます。卒業したら一切使うことはなくなります。学生時代のノートなど、その存在さえ忘れてしまうでしょう。

それよりも90分の間、「今、ここ」で真剣に講義を聞いて納得することで、頭の中に残ることが増えていきます。実際ノートを取らず、頬杖をつきながら楽しそうに話を聴いている学生ほど優れたレポートを書いてきます。

本も同じなのです。古典にしても、極言すれば今楽しめない、今納得しない古典は、やはり将来も役に立たないのです。「いつか」を考えてストックしてある本は、ずっと「いつか」のままで終わります。

読書にも、この今日一日という時間軸、すなわち「Here and now（今、ここで）」を活かしていくことで、何を読むか、何を読まなくていいかがはっきりしてくるでしょう。一冊の本のどこを読むか、読まないかも見えてきます。

▼本の情報は多過ぎると「ノイズ」になる

本というのは情報のパッケージです。一冊分の情報を取り込むのも大変なのに、たくさんの読むべき本が控えていて、さらにそれが増えていくとなったら、明らかに情報疲れを起こしてしまいます。

頭は欲張ってほしがっても、身体はそれについていけなくなるでしょう。そこに目を向けないと、本がどんどん増えて読書が追いつかない、あるいは読んでも頭に入ってこないといった泥沼からは抜けられないのです。

多過ぎる情報は、情報というよりむしろノイズになってしまいます。情報はノイズと聞くと、「一冊にせいぜい10個ぐらいかな」と思われるかもしれませんが、トンデモナイ。本に囲まれて暮らす皆さんの周りには1000個、人によっては1万個ぐらいノイズがあると考えていいのです。

減らしてもいまだ数千冊の蔵書がある私の場合は、どのくらいノイズをかかえているのか、恐ろしくて考えることもためらわれます。

読まなくていい読書とは、すなわち「これ以上ノイズをどう増やさないか」ということです。また自分のライブラリーをもつことは、「現在のノイズをどう減らすか」ということでもあるのです。

たとえば目の前の仕事に必要な本があり、それを読まなくてはいけないときは、仕事に不要な箇所への脱線を避けることがノイズを増やさないことになります。それには目的優先法で必要なものだけに特化して、必要な情報といらない情報をセレクトしていく作業が大事になるでしょう。

人生にとってのノイズを減らすといった少し大きなステージで考えると、自分の人生を豊かにしてくれる本はどれかを考える作業が必要になります。

本当に意味のある本の冊数は、1冊でも、5冊でも、10冊でも、50冊でもいいのです。大事なのは、「今、ここ」の人生で活きた時間を提供してくれる本だけをセレクションしていくということです。

それが小説でも数学書でも、ケインズの経済学でも構いませんし、先々に本が入れ替わってもいいのです。もし入れ替わりを何度も生き残っていく本があれば、まさしくそれが人生の伴侶(はんりょ)ともいうべき特別な本となるのです。なお、「活きた時間」と

「教養の身につけ方」の詳細については拙著『成功術　時間の戦略』（文春新書）の第1章と第6章を参考にしてください。

第6章
知的生産の「システム作り」のコツ

京都大学の正門前にある時計台

▼試験を人生戦略にどう位置づけるか？

本章では、大人の勉強の中から、とくに「試験勉強」に焦点をしぼってテクニックを紹介していきます。人生の戦略を考える際には、努力や気力よりも、勉強のための仕組みを整える「システム作り」が何よりも大切だからです。そのキッカケの一つとして試験を想定し、解説していくこととしましょう。

昇進のため、転職のため、スキルアップのため、資格コレクション充実のために、はたまた人に自慢したいために……各種試験に挑戦する理由はさまざまでしょうが、試験に合格することは、あくまで一つの手段にすぎません。

最初に押さえておきたいのが、「試験をなぜ受けるのか」ということです。第1章で述べたように、自分の得意分野、すなわち武器を身につけることが第一の人生戦略であり、受けようとしている試験がその戦略に合致しているかをはっきりさせるのです。

そのあたりをあいまいにしたまま試験にチャレンジしても、ただの資格マニアになるだけです。合格証は、居酒屋で酒の肴になるかもしれませんが、人生の目標を達成する手助けにはなりません。

受験の目的を明確にした上で、その後の試験勉強は、徹底的に効率主義で取り組むことが肝心です。たかが試験とはいっても、いったん受けるとなると膨大な時間とお金を費やすことになるからです。

採点する側が求めることに対して、ピンポイントで的確に答える。そのための準備をする。英語なら、まんべんなく単語を覚えるのではなくて、「出題される単語」から優先して覚える。このように試験勉強は、とてもシンプルな原理で成り立っているのです。

私は中学生のころ、学校の先生から「英語と数学はコツコツ勉強しなければいけませんよ」と教えられました。言われてみると、たしかにその通りです。日本史や生物なら、試験前日に一夜漬けで暗記すれば、そこそこの点数を稼ぐことができます。

しかし、英語や数学は違います。一晩だけ努力したところで、問題をすらすら解くことは不可能です。階段を上っていくように、勉強を毎日積み重ねる必要があるので

す。

当時の私が、英語力アップのために活用したのが英検（日本英語検定協会主催の実用英語技能検定）でした。

語学には「読む」「書く」「聞く」「話す」の4要素がありますが、英検の問題は、これらをすべて押さえています（厳密に言えば、「話す」試験は3級以上に課せられています）。

また、試験日程が年3回と決まっているので、試験日を目標にして勉強計画が立てやすいのも魅力です。

そして書店で過去問題集や参考書が簡単に手に入るので、取り組むべき内容もはっきりしています。「聞く」と「話す」に対しても、優れた教材が用意されます。

英検対策の勉強を続け、級位を上げていけば、無理なく英語力をアップできるはず。つまり、「資格を取る」という発想で私は英語力を高めることにしたのです。中学生ながらビジネスマンみたいな考え方をしていたと思います。

システマティックに英語を勉強した結果、中学2年で3級に、高校1年で2級に合格しました。それに伴って着実に英語力を身につけることができたのです。

私の英検体験は、試験に関する二つの事実をあらわしていると思います。

一つは試験という具体的な目標を介することで合理的な勉強ができること、もう一つは、合理的な勉強をすることが試験合格の近道であることです。

そして試験勉強には「こうすると効率的だ」というノウハウが必ずあります。ノウハウを徹底的に活用すれば、ラクに資格を取ることができるのです。なお、英語の具体的な学習法に関しては鎌田浩毅・吉田明宏著『一生モノの英語勉強法』（祥伝社新書）を参考にしていただければ幸いです。

▼ToDoリストと期日を逆算して計画を立てる

受ける試験を決定した上で、無理なく試験勉強を続けるには、気力や努力ではなく「システムに任せる」姿勢が大切です。

まずは、受験の「期日」と「勉強すべき内容」、そして「持ち時間」をそれぞれきちんと紙に書き出してください。

自分がこれから送ろうとする人生上の5年計画、3年計画、1年計画の中での試験の位置付けを、まず最初に明らかにします。あとはそこから逆算して、もうちょっと細かく1か月・1週間・1日の単位でのスケジュールを設定していきます。

その際、取り組むべき勉強内容を、具体的に分類しておくことが先決です。どんな本を読むか、どの問題集を解くのか、どの学校に通うか……。A3くらいの大きな1枚の紙にでも書き出していくとよいでしょう。具体的に分解してみることによってスケジュールが立てやすくなります。それと同時に、スムーズに実際の行動に着手できます（図9）。

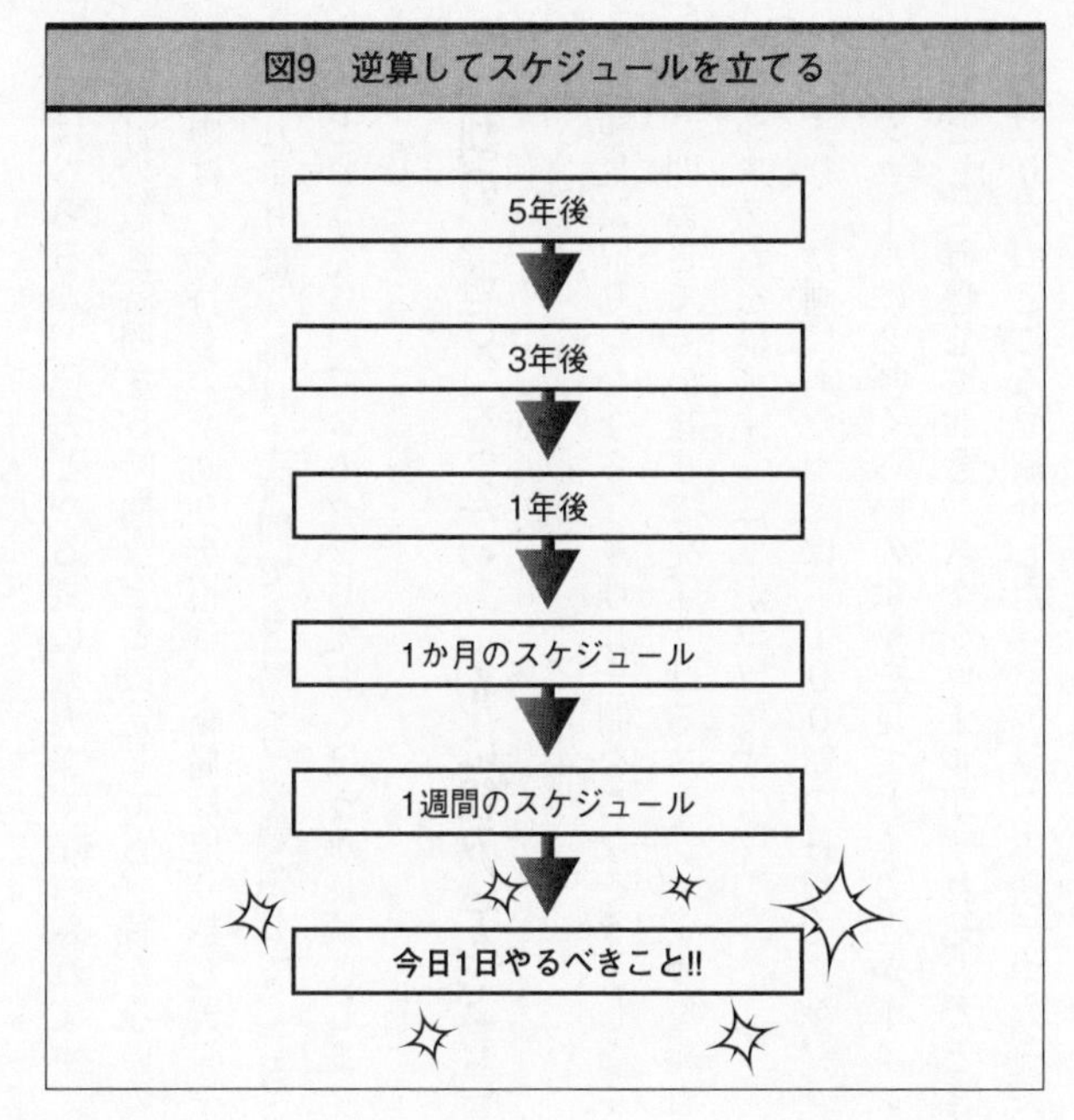

取り組むべき問題集や参考書が決まっている場合、締め切り日（資格試験なら受験日）までの持ち時間をもとに割り算するのが順当な方法です。これを「割り算法」といいます。高校や大学受験時などで試した人も多いことでしょう。

ただし、帳尻を合わせようとして、1日に大量の項目を割り振っても挫折を招くだけです。1日に進められる勉強量は、時間はもちろん、体力とやる気にも大きく左右されます。

毎日の勉強時間を5時間などと設定しても、続かないのが目に見えています。無謀な計画は、気持ちの空回りを招き、結局は取り越し苦労や挫折につながります。

それよりは、毎日1時間でもコツコツ勉強して、「もうちょっとやりたいんだけど」というくらいでストップしておくほうが長続きします。

▼2割の〝遊び〟をスケジュールに組み込んでおこう

問題集に取り組むなら、無理に全問をこなそうとしなくても構いません。1問おきでも2問おきでも最後まで完了させるスケジュールを組むのです。目標まで到達しやすいシステムを構築することがコツです。

つまり、計画にあたっては、100%の日程でスケジュールを組まないことです。スケジュールに2割くらいの余裕を見ておくことがポイントです。2割の余裕を〝遊び〟として確保しておき、スケジュールがずれ込んだときの調整期間とします。ノートの取り方のところで紹介した「バッファー法」（124ページ）をここでも活用するのです。これだけのことで気分がずっと楽になります。

２割の〝遊び〟は不測の事態に対応するためだけではありません。たとえば、行きの電車の時間は英語のヒアリング用に組み込んでも、帰りの電車では音楽を聴いてリラックスするという具合に、１日のスケジュールの中にしっかりと〝遊び〟を設けておくのです。

つまり、〝遊び〟は仕事や勉強とは別に「楽しみの時間」として組み込まれていることが大切なのです。ここはそのまま息ぬきに使っても良いし、緊急時に仕事するバッファーとして役立てることもできます。

そうやって最初のシステム設定に頭を使えば、あとは試験日が決まっているのですから、たんたんと日課をこなしていくだけです。繰り返しますが、根性なしにラクして成果を出すことがここでのポイントです。スケジュールを見積もったら、あとは問題集に向き合うだけでよいのです。

なお、バッファー法の詳細については拙著『ラクして成果が上がる理系的仕事術』（ＰＨＰ新書）を参考にしてください。

▼その試験の意図を探ることから始める

さて、いよいよ問題集にとりかかるわけですが、1問目を解こうとする前に、考えていただきたいことがあります。それは、受けようとする試験が要求する意図は何か、ということです。

参考書を買うと、最初の方のページに解説文が載っていることがあります。「この試験はこういうものを要求している」という情報です。まず、そのページにじっくりと目を通してください。

大学入試を例にとってみると、学校別の過去問題集、いわゆる「赤本」と呼ばれる問題集があります。赤本を最初のページからめくっていくと、「傾向と対策」という解説のページが添えられています。そこには、「この大学はこういうことに関心があるので、それに対応した準備が必要です」ときちんと書いてあるのです。

ところが、高校生の多くはそのページをなぜか素通りしてしまいます。過去問の1問目からすぐに解こうとするのです。

実はあの解説にこそ、試験を突破するための重要な手がかりが記されています。なぜかというと、予備校の英語主任のような立場にある先生が、過去問を20年くらい研究した上で、解説を書いているからです。

だから問題の傾向を外しようがないのです。まさに試験官が要求しているポイントを、受験のプロの先生が書いてくれているのですから、ここを読まない手はありません。

最初からむやみやたらに問題に取りかからない。これは試験勉強の際の鉄則です。まず、自分がどういう位置にいて、何を要求されているのかを冷静に考えること。

そうすると、必要なことはそれほど多くはないことに気づきます。最低限必要なことだけ満たせば、たいていの試験は突破できることがわかります。

さまざまな資格を有することで知られる吉田たかよしさんは、衆議院議員の公設第一秘書としての経験から、資格に関わる監督官庁の意向を知っておくことも、合格の近道だと述べていました。

つまり監督官庁は、試験勉強を通じて自らの組織のビジョンを浸透させる狙いを持っているというのです。それを逆手にとって、監督官庁のビジョンに沿った知識を身につければ、試験を突破する確率が高まるというわけです。

たとえば、「幼稚園教諭」の資格は文部科学省の管轄なので、教育やしつけに関する知識が必要です。ところが同じ就学前の子どもを対象とする資格である「保育士」の場合は、厚生労働省が司っているため心と体の健全育成に重点が置かれています。

このような違いを知っておくことも大事な戦略なのです。

なお、過去問の使いかたについては、後ほどくわしく述べます。

▼細部にとらわれるな、全体を見よ

試験勉強のためにできるだけ多くの知識を詰め込もうとする人がいますが、それは正しい方法ではありません。頭に入る知識の総量には限度があります。しかも、試験とは、自分が既に知っている知識を試験場で操作することなのです。

つまり、操作できる程度の知識を頭に入れることがもっとも大切です。そして操作するためには、知識がよく理解されたものでなくてはなりません。そのために普段の勉強でも、むやみやたらに勉強量を増やすのではなく、ひとつひとつの知識が頭に定着することを確認することが大切です。

そして、自分に定着した知識だけが、試験会場で問題を解く際に役に立つのです。すなわち、「既に知っている知識を操作する」ために、普段の勉強があるのです。

ともあれ、大人の勉強に完璧主義は不必要です。細部にとらわれると全体が見えなくなります。

とにかく必要なところだけ勉強したら、あとはそれ以上勉強することはありません。もしまだ勉強し足りない気分があれば、他の新しい試験勉強にトライした方が賢明です。

何でも完璧にしなければ気がすまない人がいます。それは、こと試験勉強について言えば、時間と労力の無駄でしかないのです。

試験は「ドライ」に、というのがキーワードです。徹底的に効率主義で、ドライに割り切る。合格さえすれば、満点でもギリギリでも、資格としては同じことなのですから。

▼テキストは最初から最後まで覚えなくていい

前項と関連して、もう少しドライな試験対策について紹介します。

試験では「ヤマをかける」ことは、とても大切です。試験官の意図を読んでいないと、ヤマは当たりません。

では、試験官の意図はどうして見抜いたらよいのでしょうか。ここでは、すべての勉強の内容には「階層構造」があるということを知っていただきたいと思います。たとえば、レストランの格付けにミシュランのガイドブックがあります。ここでは優れたものから順番に星の数が付けられています。勉強の参考書でも、太字になっていたり、カラーで色づけされている箇所があります。これはガイドブックの三つ星に当たるのです。

レストランでも初心者は、三つ星が付けられたものから出かけてみるのが王道です。同じように勉強本でも、三つ星に当たる内容から順番にヤマをかけてゆくのが正しい方法です。教科書でも、最初からベタに覚えてゆこうというのでは、効率が悪いのです。

このためには、日ごろから「ヤマをかける」訓練が必要です。そして、当たったかどうかの結果を見て、ヤマの張り方が正しかったかどうかを検証します。模擬試験は、このために使うものなのです。点数や順位だけ見て一喜一憂しても何にもなりません。こうした経験を積むことによって、ヤマが次第によく当たるようになります。

与えられた時間、限られた時間で効率よく成果を出すには、当たる確率をどれだけ上げられるかにかかっています。苦労したり努力することに満足してしまってはいけません。ポイントを外さない判断力をいかに養うかが勝負なのです。

▼試験の形式を知り、慣れておく

ヤマの判断力を養うには、何と言っても過去に出題された問題を研究するのが王道です。どんな試験にも、「過去問」が存在します。勉強する内容が変わっても、出題者の意図や傾向は必ず系統立っているものです。過去問には試験官の意図がすべて入っているので、10年分ぐらい集めれば何を習得して欲しいのかという意向がつかめます。

よって、先に述べた問題集の巻頭に用意されている「傾向と対策」の解説を過去問と照らし合わせながらじっくり読んでください。過去問のとらえ方が変わってくるはずです。

次に、試験の形式を知ることも重要です。試験には必ず形式があって、五択なのか論述なのかで準備がまったく異なります。そのため、必ず過去問を解きながら形式に十分慣れておく必要があります。

もちろん、この形式の中には試験時間もあります。1問に1分しか使えないのか、1問に10分使えるのかで、解き方が違ってくるのは当然でしょう。問題の内容だけでなく、形式も含めて把握しておくためにも、過去問の研究が最終的には効率よく点数を稼ぐ方法となるのです。

▼本当に集中するなら1時間が限界

さて、効率的な試験勉強をするためには、「頭をクリエイティブに動かすのは1日

1時間まで」という「1時間法」を使うのが基本です。というのも、1日のうちに本当に集中して頭を使うことができるのは、せいぜい1時間程度だからです。
学者でも、政治家でも、1日中フル活動しているような芸能人でも、本当に集中して脳が働いている時間は1時間なのです。この事実を最初に十分理解しておくことが大切です。
クリエイティブな1時間は、何にも代え難い貴重な時間です。この1時間のために残りの23時間があると言っても過言ではありません。勉強するコンテンツの中でも、もっとも頭を使うこと、最優先に体得したい内容を選んで、この1時間に組み込んでみてください。

クリエイティブな1時間が終わったら、脳をクールダウンさせることを意識しましょう。書類や本や雑誌を片づけたり、パソコン上のデータを整理したりといった、あまり頭を使わない作業に取り組むのです。このような時間は、好きな音楽を聴きながらでもかまいません。

▼45分で勢いをつけ、15分は不得意分野にチャレンジ

「1時間法」のアレンジとして、「45分法」というテクニックもあります。

45分法というのは、まず60分1単位を、45分と15分に分けます。問題集を解くのであれば、最初の45分を得意な問題に割り当て、勢いに乗って勉強を進めます。そして、加速をつけた状態で一気に最後の15分で不得意な問題に取り組む、というわけです。

先に紹介した「呼び水法」を時間枠に当てはめて、システム化した手法と言えましょうか。45分がまさに呼び水に当たるのです。

ここでのポイントは、最後に15分問題を解いたら、それ以上は延長しないことです。

スタートからの60分ですべての勉強をやめる、ということです。トータルで1時間を過ぎると、脳の集中にも限界が訪れます。やりすぎは、停滞のもとになりかねません。

▼15分に区切って集中する

他にも集中力を生かすためのオプションを紹介しましょう。人間の集中力の持続時間を意識した「15分法」と言われる手法です。

最低の時間単位を15分とし、その間は集中するという方法です。

たとえば、テレビドラマを見ていると、およそ15分ごとにコマーシャルが入ることに気づいているでしょうか。人間がストーリーに集中できるのが15分なので、そこでインターバルを置いているわけです。

逆に言えば、人間は最低でも15分は、どんなに辛いことでも集中して取り組むことができます。だから、とにかく15分は頑張る。苦手な勉強でも15分だけならば頑張ってもよいでしょう。

あるいは、15分ずつ次から次へと勉強する中身を変えていくのも、集中力を保つのに非常に効果的です。15分ごとにゲームをクリアしたような達成感を味わうことが、15分法をうまく使いこなすポイントなのです。

▼勉強時間の5分の1を復習にあてる

新しい内容を勉強する際には、全体の勉強時間の構成を考えておく必要があります。全く新しい意識を得る時間と、既に勉強した内容を復習する時間の配分です。

基本的には、新しい学習と過去の復習の比率は4対1くらいが適当です。すなわち、1週間に5時間勉強しようと思ったら、そのうちの1時間は完全に復習だけをする時間に充てるのです。

多くの人はまだやっていない箇所が気になるあまり、理解が不十分でも先に進もうとします。ところが、頭に次々と知識を入れても身についていなければ、片っ端から消えていくことになります。

そうならないためには、適度な量で復習を入れることが必要です。せっかく時間をかけて勉強したことは、確実に頭に定着させたほうが良いのです。底に穴が空いたバケツに一生懸命に水をくむようなことをしてはいけません。

なお、自分にとって得意な内容の勉強では、予習時間の比率を増やしてもかまいません。反対に、不得意科目では復習を多くしたほうが良いでしょう。

私の経験では、予習と復習の時間配分を4対1に設定してスケジュールを立てるのが、もっとも定着率がよいという結果が生まれました。これは長期記憶として知識を定着させるために、勉強時間全体の20%を割くという意味でもあります。面白いことに、ここでも「80：20の法則」が成り立っていたわけです。

いずれにせよ、4対1と固定的に考えるのではなく、臨機応変に変えながら自分でカスタマイズしてみましょう。

▼過去問の問題と解答は一緒に見る

試験を受けることが決まったら、必ず過去問題集を手に入れてください。大学受験であれば、大学ごとに出ている「赤本」がそうです。

これを、試験に必要な教科書を買うのと同時に、過去問題集も買ってしまうのです。

先にその使いかたから解説しましょう。

過去問題集の使いかたで一番大事なことは、「問題と解答は一緒に見る」ということです。すなわち、問題文を読んだら、すぐに解こうとはせずに解答と解説を続けて読んでしまうのです。

多くの人は、問題を解いてから解答を見なければ実力がつかないと思っています。しかし、それは間違いです。

普通は問題文を見ても、すぐに解けるものではありません。問題文には、その試験で何が要求されているかがきちんと書いてあります。つまり、問題文を先に読むことで、何を勉強すればよいのかを先につかむのです。

そして、解答と解説を読めば、それに対してどのように答えを導いていけば良いかがわかります。ここを先に読むことで、勉強すべきことの筋道が見えてくるのです。

私の専門の例では、地学を勉強する時に、大学のセンター試験問題を解くことで学習効果を高める本を作りました。これは大成功で、読者の多くが問題と解答解説を読みながら、地学の知識を苦労なく身につけてくれました（拙著『やりなおし高校地学』ちくま新書）。こうした方法はすべての試験勉強に役立つ方法論なのです。

そもそも過去問題集を勉強することで、これから新たに出る試験の内容の７割はカバーできます。試験問題の作成者は、そんなに新しい内容の問題は作れないものなのです。よって、似たような形式と内容の問題が半分近く出るというわけです。

読者の皆さんが思っているよりもはるかに高い確率で、過去問がそのまま出題されているのは事実なのです。

▼薄い教科書（テキスト）をモノにしよう

過去問題集の使用法の次に、教科書（テキスト）の選び方について述べましょう。選び方の最大のポイントは、「薄い教科書を選ぶ」です。

多くの人は、分厚くて何でも書いてある教科書を使うほうが試験に役立つと思っています。ところが、それは全くの見当違いです。

厚い教科書を買っても、最後まで読めるものではありません。さらに、自分がまだ読んでいない部分のページ数があまりにも多いのを見て、不安になります。時には、やる気を失ってしまいます。

そういうことの起きないように、教科書はできるだけ薄くて、最後まで読み切ることができるものを買います。そして、しまいまで読み終わるスケジュールを立てます。最後まで読んでみると、その科目の全体の様子が分かります。たとえば、大学受験の日本史で言えば、明治以降の近代がもっとも試験で出題される確率が高いのです。ところが、教科書の最初から読んで明治時代まで達しないうちに時間切れになってしまう高校生を、よく見かけます。これでは、一番出題頻度の高い内容を全く勉強せずに試験へ臨むことになります。

過去問題集をチェックして試験に頻繁に出る分野が分かったら、その内容が書いてある教科書のページを読みましょう。教科書にあたることで、内容をもう一度確認するのです。なお、このとき巻末の索引を使います。

ここで必ず読まなければならないページは、そう多くはないものです。そのためにも教科書は薄くて最後まで読み切るものを入手するのが鉄則となるのです。

▼買っただけの「代理満足」が怖い

教科書は買っただけで満足してしまう人が多くいます。勉強しようと意欲を持ったのは良いのですが、教科書を買ったり、参考書や過去問を揃えたりして、机の上にたくさん並べます。そしてそれだけで勉強した気になってしまうのです。ここに陥ると、本来の勉強時間はどんどん減っていきます。

また、勉強を始める前に、教科書選びと参考書選びに熱中する人も少なくありません。友人や先生のアドバイスを受けて、あれこれと教材を集めます。さらにネットに出ている評価を見て、これは良い本だ、あれはまだ持っていない、と品定めします。これでは受験本の「評論家」にはなれても、勉強したことには全くなりません。

このような状況を「代理満足」と言います。コンテンツを学習する時間ではなく、**勉強について考えたり工夫したりする「代理」の時間が増えるだけです。**人間は一番大事なことから逃げたいものなのです。よって、勉強した気になって満足する状態に陥らないように、いつも注意する必要があります。

実は、本書のような勉強法に関する本を読む際にも、同じ危険性が潜んでいます。かつて私も、勉強時間のうち半分以上を、勉強法の読書に充てていたことがありました。それに気づいたのはずっと後でしたが、まさしく本末転倒以外の何ものでもありませんでした。

他のビジネス書に関しても全く同様のことが起きます。「整理術」の本を読んでいながら、本棚は整理術の本で溢れかえっている。また、「速読法」と銘打った本を買ってきて、一生懸命に読破するのは何十冊もある「速読法」だった。笑い話のようですが、いずれも「代理満足」に陥った状態なのです。

これについては私も人ごとではなく、深く反省したことがあります。その顛末(てんまつ)は『一生モノの超・自己啓発』(朝日新聞出版)で懺悔(ざんげ)しましたので、整理に溺(おぼ)れている人はぜひ参考にしてください。

▼「スキマ時間」を勉強タイムに!

まとまった時間が確保できないという場合は、ちょっとした空き時間をうまく活用する姿勢も大切です。特にビジネスパーソンは、仕事と仕事の合い間の限られた時間内で試験合格を目指す場合がほとんどでしょう。チャンスを無駄にしない姿勢がとても重要となってきます。

誰でも1日のうちに、5分や10分の「スキマ時間」が何度か訪れるはずです。

たとえば重要な商談など、遅刻すると取り返しがつかないので早めに到着して待機するような場面が少なくありません。そんなとき、待ち合わせ場所のベンチや喫茶店で、約束した時間が来るまでの間を自分だけの勉強時間にあてることができます。銀行や病院での待ち時間なども、短くても自分の自由になる時間です。意識すれば貴重な勉強タイムとなります。

とくに日本では、何かにつけ「待つこと」にイライラしている人が少なくありません。時間をムダにしたくないという意識がそうさせるのでしょうか。それなら、**文句を言う前に勉強道具を広げればいいのです。**精神衛生上もたいへん良いと思うのですが。

また、長時間にわたる会議の休憩時間なども、立派なスキマ時間です。特に、世の中には退屈な会議というものが、少なからず存在します。

会議の内容が、資料を読めば事足りるようなものであったり、すでに出ている結論を聞かされるだけのようなときは、会議中に頭を極力休めてしまいましょう。何度も繰り返しますが、極力「頭をつまらないことに使わない」ことが、クリエイティブな頭脳活動を維持するための最大の戦略です。そして休憩時間に、一気に勉強に集中するのです。

▼人生計画やスケジュールを見直す時間も必要

「スキマ時間」には、語学の音源を聴いたり、英単語などの単純暗記が向いています。スマホに英語の勉強道具を入れておくと、すぐに勉強モードに移行できるでしょう。

読書にあてるなら、大部の本を読むよりも、雑誌記事やコラムを読むのに適しています。「スキマ時間」用の文庫本や新書本をいつも携帯しておくのもおすすめです。

また、「スキマ時間」に1日の計画を見直してはいかがでしょうか。思いがけない来客があったり、トラブル処理に時間を取られたり、ときとして計画どおりにはいかないことがあります。

予定が狂ったとき、何を切り捨てて何を優先するのか、とっさに判断が問われます。よってスキマ時間を利用して、勉強の計画とスケジュールをこまめに微調整しておく姿勢も重要なのです。

ここでは「ちょっと立ち止まる」というのが、意外に見過ごせないスキマ時間の有効な使い方です。私の場合、手帳にびっしりと書き込まれたスケジュールを確認します。その日の予定だけではなく、ときには1年、5年、10年といった長期的な人生計画の見直しに、スキマ時間を活用することがあります。

こんなときの私は、バス停の前であらぬ方向を見てボーッとつっ立っているのかもしれません。

▼情報は3段階で記憶する

各種試験は、暗記能力が大きなカギをにぎっていることがほとんどです。ここで情報を効率よく記憶するためには、どうすればいいのでしょうか。

テキストの内容を覚える際、最初から赤ペンや蛍光ペンで隈（くま）なくラインを引いていき、極彩色に塗り固めてしまう人がいます。これでは、どこを重点的にチェックしたらよいのかわからなくなります。テキストをそっくりノートに書き写すのも同様ですが、いずれも合理的ではありません。

まずはテキストを通読して、自分がまだ「覚えていないこと」をぐっと絞り込みます。そのうえで新しい情報を記憶する際には、まず黙読しながらテキストの内容を頭に定着させます。

次に、テキストを声に出して読みます。意外と知られていませんが、自分が出した声を聴きながら耳で覚えるのが、生理学的にも最も効果的な記憶法なのです。

英語でも、ヒアリング用の音源を繰り返し聴くことで、フレーズを体得できます。すべての暗記科目に当てはまることですが、耳で覚えるという優れた機能をスイッチオンするには、既製の音源を聴かなくても、自分で音読して自分に聴かせればよいのです。

音読の原理が司法試験でも英単語でも通用するのは、多くの人が証明しています。私自身、音読法を使って大学の第二外国語であるドイツ語を勉強しました。第二外国語ですから、テキスト自体もそれほど長いものではありません。音読を繰り返していると結構耳に残るので、いつの間にか全文を覚えてしまったものです。

テキストで新しく出た単語には訳語が逐一書いてありましたが、音読しながらその訳を追って行けば、おぼろげながらに新出の単語も記憶に定着されていきます。試験では作文までは要求されずに、独文を和訳するくらいでしたから、何とか対応できたのです。

そして、3番目に、ペンを持って手書きをします。絶対に覚えたい固有名詞などは、何度でも手書きを繰り返すのです。手と頭脳というのは密接にかかわっているので、手を動かすことで脳の記憶中枢を刺激することになります。

よくピアノを弾くと認知症になりにくいと言われるのはこのためです。いつでもすぐに書き始められるように、私の作業机には紙と筆記具を常備しています。

▼記憶力の鍛え方

暗記能力そのものを高める方法もあります。『国家の罠』（新潮文庫）などのベストセラーで知られる作家の佐藤優氏は、これまで見てきた中で、中東の人たちの記憶力が特に優れていたと評しています。

その理由は、子どものころからコーランを暗唱する文化があるからといいます。つまり、記憶力は決して先天的なものばかりでなく、努力しだいで記憶の容量を増やすことが可能なのです。

佐藤氏は、具体的な方法として250ページ程度の文庫本を暗記する方法を勧めています。一度このくらいの容量を記憶すると、記憶力が飛躍的にアップするというのです。

ただ、そこまでの余裕がない、あまりにもハードルが高いと思われる場合は、もう少し短い名文を覚える練習から始めてみてはいかがでしょうか。たとえば、好きな作家のエッセイなどを見つけてきて、全文記憶にチャレンジするのもよいでしょう。文章のリズムが身につくという別のメリットもあります。

また、体験した状況と会話内容を結びつけて記憶するトレーニングもあります。今日体験した出来事を会話内容などと結びつけながら、頭の中で再現していくのです。

ふだん漫然と過ごしていると、2日前の昼食のメニューも思い出せないことがあります。しかし、引き出す作業がうまくいかないだけで、脳には確実にインプットされているのです。

意識の下にある莫大な無意識の領域では、すべての行動が記憶されていると言います。それが意識までなかなか出てこないので、思い出せないだけなのです。記憶を引き出す習慣を通じて、出来事を復元する能力は高まるということです。

▼スランプが来たら抵抗するな

ところで、「試験合格に向けて勉強しよう！」と着手したまではよいのですが、途中で挫折する人が後を絶ちません。子どもが熱を出したから、プロジェクトのために遅くまで残業をしていたから……。勉強を妨げる理由はいくらでも出てきます。当初の意気込みはどこへやら、気がつけば元の木阿弥（もくあみ）というわけです。

勉強が続かないとき、たいていの人は自分の意志の弱さを責めます。これでは「どうせ自分は……」と自嘲的に愚痴るのがオチです。

しかし、三日坊主は、果たして意志だけの問題でしょうか。

本章の冒頭の方で、システム作りの重要性について述べました。システムとは、**心の迷いや劣等感、あるいは勉強に対する嫌気を回避するためのものです。**

「自分は意志が弱いから」などと余計なことを考え始めるから、悩みの下方スパイラル（悪循環）に陥ってしまうのです。

あれこれ逡巡する前に、「朝8時に机に向かうのは、すでに決められたことですから」と、とにかく机に向かう。これが「勉強をシステム化する」ということです。システムを作ったら、あとはただただ機械のように学ぶというのが、もっとも効率の良い方法です。

このシステムには、もう一つ秘訣があります。先に述べたように、2割のバッファーを事前に確保し、組み込んでおくのです。こうしておけば、時間に多少不規則な日があっても、思うように進まない日があっても、最後に帳尻を合わせることができます。

▼最初の10%は復習からスタートしてみる

勉強がうまくいかないときには、自分の意志の弱さを決して責めないでください。悪いのは自分が作ったシステムだと思えばいいのです。システムがたまたま悪かっただけであり、私は何ひとつ悪くはない。そして、そのシステムはいつでも変えられるのです。

このように、システムを人ごとのように見なすことが大事なのです。

同じように、自分が立てた計画も、うまくいかなければ人ごとのように切り離してみましょう。そもそも計画に振り回されるということ自体が考えものです。スケジュールの遅れがプレッシャーとなり、ペースを乱しては元も子もありません。

ここで完璧主義者になってはいけません。不完全に対して、勇気をもって受け入れることが大切なのです。たとえうまくいかなくとも「システムのせい」にして、自分を責めないことがポイントです。

勉強に迷いが生じたら、システムに問題がないかをまず検証してみましょう。思い切って、システムを組み直すのも手です。自分の中だけの話ですから、誰にも遠慮する必要はありません。

その際には、決められた科目の中で一番やりやすかったり、一番得意なことから着手するように計画するとよいでしょう。「呼び水法」をここでも活用します。

英語であれば、すでにスラスラと読みこなせるテキストから読み直す。ここでウォーミングアップを十分にしておきます。そのあと興が乗ってきたところで、まったく新しい問題集を解き始める、という感じです。

そしてスランプが来たら、先にも述べたような復習の時間を増やすのです（244ページ）。通常の学習では4対1の比率で予習と復習を設定しましたが、復習を半分以上にまで増やす、もしくは全部の時間を復習に充てても良いのです。

言わば、復習こそが「呼び水法」の最大のテクニックと言えるでしょう。さらに、どんなときにも最初10％ぐらいは復習からスタートするのが、上手に軌道に乗せるコツです。ここでうまく動き出したら、新しいことにもチャレンジするポジティブな気分が湧き出してきます。

▼スランプは「立て直しのチャンス」と捉えよう

しかし、どう頑張ってもまったくやる気が起きない、という事態に直面することもあるでしょう。俗にいう「スランプ状態」です。

スランプは、実は大変重要な脳のシグナルであり、罪悪視すべきではありません。どんな優れた人物にも、必ずスランプは訪れます。

スランプが来たら、「ようこそ」と言えるくらいの精神状態が、結局は脱出を早めます。私の場合、スランプがやってきたら「しめた！」と思うことにしています。

何と言っても焦らないことです。スランプは脳による休息命令のサイン、もしくは今選択している方法に根本的な無理があるというサインです。抵抗せず、素直に従うことです。

ただし、勉強ができなくても、また仕事ははかどらなくても、机の前には座り続けるのです。ここで座るのもやめてしまうと、通常モードへの復帰を困難にするからです。座りながらも、これまでやりたかったができなかった別のことをします。

少しでも勉強を続けた経験があれば、スランプなのか単なる怠けなのか、自分が一番よくわかっているはずです。

スランプだと思ったら、大きく勉強を中断してもよいのです。そのためにも2割の〝遊び〟があるのですから。いっそのこと、この2割の〝遊び〟を使い切っても構いません。

そこからもう一度勉強計画を立て直せば、気持ちを切り替えて新たなスタートが切れます。何度も言いますが、計画はうまくいかなかったら変更してもよいのです。自分にピッタリと合ったシステムが出来上がるまで、どんどん変えていく。究極的には

「自分自身にカスタマイズする」ことが目的なのです。

▼試験問題は1問目から解いてはいけない

さて、学校や会社の試験以来、受験から遠ざかってきた人たちには、試験会場の雰囲気に想像以上の緊張感を味わうと思います。ここで焦っては命取りとなります。まず、試験の時間配分ですが、**鉄則は「解ける問題から解く」**です。

確実にポイントを稼げる問題は、絶対に落とさない。その反対に、解けるかどうか怪しい問題は全部後回しでもかまいません。

そしてもう一つのポイントは、**必ず見直しをする**、ということです。問題文をよく読んで、何を問われているかをもう一度確認します。ここでは余計なことを書いてはいけません。問われていることに集中して解答しているかを見直すのです。

さらに、解いたつもりでも、ケアレスミスで確実に取れた点数を落とすことがあります。そんな失敗を防ぐために、自分が確実に取れると思うところは、きちんと見直しをかけて、1点のミスも起こさないというのが鉄則です。

見直すためには、最後の１割程度の時間は必ず確保しておくことです。「バッファー法」のテクニックでもあります。

結構、見直しで５点や10点くらい回復するものです。最後の１割の時間を、難問の解答にあてて、うんうんと唸っているよりも、確実なところを見直す方がよほど賢い戦略です。

圧倒的に多くの人が１問目から順番に解こうとするのですが、順番にこだわる必要は一つもありません。１問目が難解な問題で、ラストが易しい問題ということもありえます。ここで時間配分を間違って、ラストを解かずに終わるのはもったいないことです。

私も試験の採点をすることがあるので、実感しているのですが、最後の解答欄を余白のまま提出する学生が意外に多いのです。おそらく時間配分を誤っていて、終盤の問題は手つかずだったということです。

まずは落ちついて、問題を全部見回しましょう。自分のかけたヤマが当たったのかどうかを短時間のうちに検証するのです。問題が６問あって、ヤマが当たったものが３問あったなら、まずヤマ当たりの３問から先に取りかかるのです。３問の中でも、もっとも簡単そうな1問から取り組むのがベストです。

以後の問題は、順番に解いていき、ヤマがはずれて一番難しい1問を後回しにします。最後の問題は、ある意味では捨ててしまってもいいのです。

▼解けない問題は思い切って捨てる

6問あったならば、1問か2問捨てても大丈夫なのです。きちんと4問に正解できれば、たいていの試験は合格するようにできているのですから。

たとえば、問題文をざっと見て全く解けないような問題は、思い切って捨てましょう。ここでは何とか解こうとしてムダな時間を費やさないことが肝要です。

また、ほとんどの受験者が、試験開始の合図とともに一斉にペンを走らせますが、これも決して賢いやり方ではありません。周囲の動きは気にせずに、自分だけは悠々と問題を見回すだけの落ち着きを保ってください。「まあひとまずお茶を一杯」というところでしょうか。

簡単な問題というのは、ペンが勝手に答案を書いてくれるような気分さえ覚えます。

つまり、ペンがひとりでに動いて答えを書いてくれるような問題から解くべきなのです。

そして、ひとりでに動かないようであれば、その問題はただちにパスして次へ移ります。そうやって全部の問題をひととおり渡りながら、書けるところをどんどん埋めていくのです。

これが終わったら、やおらペンがひとりでに動かなかった問題に取りかかります。このときにも、ペンがより動きやすそうな問題から始めるのが鉄則です。

試験場では自分だけが血相を変えて問題に取り組んでいるのではなく、手に持ったペンという心強い味方が解答を助けてくれていると思えば、リラックスして受験できます。そういう余裕が、最終的には合否を分けるのです。

第7章 人から上手に教わると学びが加速する

京大での「地球科学入門」の講義風景

▼人との出会いが学びの意欲を刺激する

日常にインターネットが浸透したこともあり、若い人の中には、インターネットを通じてあらゆる情報を入手できると考える人がいるかもしれません。しかし、人から教えてもらうことで初めて価値が出る情報も、世の中にはたくさんあるのです。

ある惑星地球科学の専門家によれば、人類の数が急激に増えた時期があって、それは女性が長生きするようになったからだといいます。

つまり、老いた女性が自分の子育ての経験を子どもに伝えることで、孫の世代の死亡率が下がったというのです。おばあさんはどの時代にも、知恵の固まりだからです。

ところが、その知恵をもらって上手に生きようという人が、最近は案外少ないのです。とくに若者であるほど、年長者からあれこれ口出しされるのを煙たがります。それは昔からある傾向なのでしょうが、その結果、損をするのは自分自身であることをもっと自覚してほしいと思います。

ここには大事なポイントがあります。身近にいるおばあさんといった生身の人から

直接学ぶメリットです。出会った人の存在自体にインパクトが大きいために、今後のモチベーションの支えとなることが必ずあります。すなわち、インターネットのようなバーチャルなものに頼るだけでなく、人との出会いから何かを得るという姿勢が大切なのです。

人から学ぶというと、真っ先に思い浮かぶのが学校などの教育機関でしょう。たしかに小学校から大学までの学校は、先生との出会いの場です。

ただ昨今は、予備校の講義や講演会を遠く離れた土地でビデオ放映したり中継したりすることも一般的になりました。サテライト講義という形です。

私はこれを、あまり良い傾向だとは思いません。

優れた人から教えてもらうことだけが重要なのではなく、その人から「直接教えてもらうこと」にこそ価値があると思うからです。

目の前に本物の先生がいることで、その人のオーラを近くで受け取ることができます。いわば体温を感じることが大切なのです。**先生と一緒に「活きた時間を共有した」という体験が得がたいものとなるのです。**貴重なのはそうしたライブ感なのです。

▼テレビタレントに感じたすさまじいオーラ

第2章でアカデミック・バラエティの話をしましたので、テレビで考えてみましょう。テレビの画面では、いかんせん生身の人間のオーラが薄まってしまいます。
私は何度か火山学者としてテレビに出演した経験があります。収録の現場で、番組の司会やゲストのタレントさんに何人もお会いしたのですが、実際に彼らを目の前にしてすっかり驚きました。

どのタレントさんも、ものすごいオーラを放っているのです。芸能人として長く第一線で活動している人は、たとえ体が小さくてもパワーに満ちあふれています。

その一事をもって、芸能界の競争のすさまじさや、そこで勝ち抜くことの難しさを知る思いがしました。

収録現場ですっかり圧倒された私ですが、あとでオンエアされた番組をチェックしてみると、あれほどパワフルに見えたタレントさんに、当日感じたほどのオーラが見受けられません。感覚的には、10分の1から100分の1くらいまで希釈されているように思えるほどでした。

結論としていえるのは、タレントであれ学校の先生であれ、友人であれ、直接コンタクトを取ることで、強いオーラやパワーをじかに感じられるということです。だから、テレビ電話やDVDなどではなく、人と直接会う機会をもっと作ってほしいと思うのです。

なるべく人と出会う場を学びの機会に転換する努力を試みていただきたいと思います。どんな人からも、必ず何かを学べるものだからです。

▼師匠からは誠実かつ貪欲に何でも学べ

人から学ぶということは、「師匠」を持つことにつながります。

師に恵まれることは、この上ない人生の幸せの一つです。勉強するにあたって、自分の全体重をかけるに足る師匠を持つことを是非お勧めします。師匠は学校の先生でも構いませんし、職場の上司でも先輩でもよいでしょう。

師との出会いというと偶然の産物のように思われるかもしれません。たしかに学生時代の先生や上司との出会いは、受け身の状況で始まるのがほとんどのケースです。

ただし、**大人の勉強法では、良い師と出会うというのも戦略の一つです。師匠は求めなければ向こうからはやって来ません。**各種の資格学校や英会話学校でも、自分から動いて調べてみると、あらかじめ先生の情報をかなり得ることができます。こういうときにインターネットを使うのはたいへん有効です。

もちろん「オーラ」までは実際に会ってみないとわからないでしょうが、これはと思える先生を見つけたら、マークしておきます。体験入学などの何らかの機会を利用して、一度じかに会ってみるのがよいでしょう。

これぞという師匠が見つかったならば、師匠についてすべてを学ぼうとする姿勢を持つことが大切です。一方的に講義を受けたり知らないことを質問するだけでなく、可能な限り師匠と行動をともにしてください。

教えられるのは言葉からだけとは限らないのです。一緒に食事をしたりお酒を飲み交わす時間にも、師匠の姿から多くを学べるはずです。**とにかく優れた師匠からは、誠実にかつ貪欲に何でも吸収することです。**

私自身も、最初に就職した職場の上司を師と仰ぎ、徹底的に学び取ろうと努力した

人から直接教えてもらうことにこそ価値がある（米国ハワイ火山観測所長のスワンソン博士と）

時期がありました。中国の古典に目覚めるようになったのも、その上司から『論語』を読むのを勧められてからのことです。

一時期は『大学』『中庸』『孟子』などを、就寝前の30分から1時間の間に、日課のように読みふけっていました。そこから、道元（1200―1253）や新井白石（1657―1725）、大塩平八郎（1793―1837）といった日本の思想家たちの面白さにも目覚めました。吉田松陰（1830―1859）や勝海舟（1823―1899）といった人物に興味を持ち始めたのもこの頃です。どれもこれも師匠に恵まれたことによる余徳です。

師匠の言動には、まず素直に従ってみるべきでしょう。勧められた本は欠かさず読み、実行してみることです。最初は受け身で構いません。師匠の言ったことをすでに知っていたり、自分の考えとは違うと思っても、ただ一方的に受け入れてみるのです。

この「受け身の学び」ができないがために、せっかくの才能をつぶしてしまう人がいるのも事実です。「個性的」であることにこだわるあまり、師匠からのせっかくの教えを無駄にしてしまうのです。

もし異を唱えるとしたら、もう十分に学びきって新しいステージに立とうとするときでよいのです。それまで何年も何十年もかかるような師匠に巡り会うすばらしさを、ぜひ知ってほしいと思います。

▼見ず知らずの人を師匠にする

師匠を持つことに関していえば、身近に師事する人物を持つ一方で、見ず知らずの人物を師と仰ぐことも可能です。

著名人をこちらから一方的に師と仰いでもよいのです。著書を通じて心酔する著者がいれば、その人の作品をすべて読破してはどうでしょうか。

その人が講演する機会があれば聴きに行ったり、雑誌やテレビなどメディアへの露出を逐一チェックするのもよいと思います。せっかく師事するのですから、「おっかけ」をするくらいの意気込みがほしいところです。

見ず知らずのすぐれた師匠は、実は故人でも構いません。

たとえば福田恆存（つねあり）（1912―1994）、渡辺一夫（1901―1975）、中野好夫（1903―1985）、加藤周一（1919―2008）などは、私にとって会ったことのない師匠です。今の若い世代にとっては名前を聞いたことがある人は少数派かもしれません。それでも、著作を通じていつでも彼らの謦咳（けいがい）に接することができます。

今ではブログなどを通じて、見ず知らずの人を師匠にすることもできます。関心のあるキーワードをもとに気ままなネットサーフィンに興じていて、ときに思わぬ鋭い論考に出くわした経験はないでしょうか。

それがまったく無名のサラリーマンの手によるものであったりすることも、決して珍しくはありません。市井の人の中にも刮目（かつもく）に値する見識を持つ人は必ず存在します。

必読のブログをいくつか持っているというのも、師匠を持つという趣旨にかなう行為でしょう。師は自分だけの師であってもまったくかまわないのです。どのような人を師と仰ぐかで、自分の人生目標が見えてくるでしょう。

▼「ああなりたい」という人を持つ

師匠探しにもつながりますが、人から学ぶにあたって、具体的なロールモデルを持ってはいかがでしょうか。

ロールモデルとは、「こんな人になりたい」と思うようなモデルのことです。目標を実現した人として、具体的なロールモデルを設定することが、自己成長のカギとなります。対象となるのは、自分がテーマとする分野で一頭地を抜く人です。師匠も含めて、真に尊敬すべき存在がロールモデルとしてふさわしいと思います。

「ああなりたい」と思うことからすべてが始まるのです。何かにつけ「こんなときに、その人ならどうするか」と自問して、ふるまうようにしてみます。極端にいえば、一挙手一投足を真似するということです。

実在の人物をお手本としてみることで、これから取ろうとする行動が具体性を帯びてきます。人間は思いこみの強い生き物です。集中して真似しようと努力するうちに、ロールモデルが乗り移ったかのように行動できるようになるものなのです。

▼実業界のカリスマの人生に学ぶ

ビジネスパーソンにとってのロールモデルとしては、たとえば本田宗一郎、井深大(いぶかまさる)、稲盛和夫などが筆頭にあげられるでしょう。言うまでもなく、日本を代表する技術者であり実業家です。

一般的によく知られているように、本田宗一郎（1906―1991）は、身内を会社に入社させませんでした。会社は公器だから、というのがその理由です。優秀な人を徹底的に取り立てて活躍の場を与える。これは、会社を発展させるための最大の戦略ではないかと思います。

本田宗一郎に限らず、一時代を築いた実業家は、生き方に筋が通っていて、それが魅力の源泉になっているように思います。財界の鞍馬(くらま)天狗と言われた中山素平(そへい)（19

06―2005)、難しい時期に国鉄総裁を引き受けた石田禮助（れいすけ）（1886―1978）など、昭和の実業家の伝記をひもといていくと、まさにロールモデルと呼ぶにふさわしい仕事ぶりを体現していることがわかります。

奇しくも中山素平、石田禮助とも勲章を辞退したエピソードが共通しています。石田禮助を描いた城山三郎の小説『粗にして野（や）だが卑ではない』には、石田の「マンキー（モンキー）が勲章をぶら下げた姿なんて見られるか」という発言が紹介されています。一代で身を立てた人物ならではの、なかなか振るった言い分です。

世の中を我がもの顔でのし歩いている成金たちとは人間の質がまったく違います。この権威に媚びない姿勢が、後世の多くの起業家たちに勇気を与える要素につながっていたのではないでしょうか。

実は「かっこいい」というのも、ロールモデルの重要な条件です。20世紀に活躍した実業家白洲次郎（1902―1985）が「かっこいい」ロールモデルとして再評価されたこともありました。

1943年に日本の敗戦を見越して郊外に転居し、農業を始めた先見性や、敗戦後、GHQ相手に臆することなく主張を展開したことから「従順ならざる唯一の日本人」

と呼ばれたことによっても有名な人物です。

白洲が残した言葉は、ときに日本人の弱さとプリンシプル（原理原則）の欠如を的確に指摘しています。特に旧版の『一生モノの勉強法』を刊行した頃は、一種の白洲ブームが起きていました。プリンシプルを曲げずに強く生きたいと願うときに、彼の生きざまは大事な指針を与えてくれるように思います。

▼渋沢栄一は古くて新しいロールモデル

現代のロールモデルとして注目に値する人物といえば、渋沢栄一（１８４０―１９３１）を忘れてはなりません。実業界の偉人でもある渋沢栄一は、２０２４年度から福沢諭吉に代わって、一万円紙幣の新しい顔になることが決まっています。

明治維新後の時代において、我が国の資本主義の礎を築いた人物として知られており、設立にかかわった会社は４８０社を超えるとも言われています。その中には銀行、ホテル、メーカー等々、現在も存続している有名企業も数多くあります。

その渋沢栄一が生き方の指南書として重要視していたのが、中国の古典『論語』でした。彼は経済人としてのこの古典の読み方を『論語と算盤』『論語講義』などの著作として残しています。すなわち、孔子たちがものした『論語』と、いわば損得を計算するソロバンとは、決して相容れぬものではなく、むしろ両立すべきものであると説いたのです。彼は七六歳で実業界を引退してから東京商科大学（一橋大学の前身）の創設に助力するなど教育・文化事業を展開し、社会に大きく貢献しました。

今では彼の著書自体が現代の古典となり、世代を超えたビジネスパーソンに読まれ続けています。ちなみに『論語と算盤』はちくま新書（現代語訳＝守屋淳）や角川ソフィア文庫などで、また『論語講義』は講談社学術文庫、平凡社新書（『渋沢栄一の「論語講義」』編訳＝守屋淳）などで読むことができるので、この機会に渋沢の持論を繙いてみてはいかがでしょうか。

▼2種類のロールモデルを持つ

また、ロールモデルの条件として必要なのは、「こうしたい」という内容が具体的にはっきりしていることです。つまり、写真だけでなく自伝や評伝といったように、繰り返し読めるようなテキストがあれば最高です。

そのためには、テレビで活躍するアイドルなどよりは、書かれたものをもとに、ときにふれてその人の良さを追体験できるような人物がおすすめです。具体的な行動をきちんとフォローできるほうが、ロールモデルに一層深く近づけるからです。

ロールモデルは、「手の届かないくらい上の人」と「身近な先輩くらい」の2種を持つことも大切です。いきなり高みを目指そうとしても、ただのあこがれで終わってしまいます。一時的に「ああなりたい！」とテンションが上がっても、しばらくして熱が冷めてしまうことがよくあるのです。

自分より少し上の存在を意識してお手本とすることで、無理なくステップアップすることが可能です。これは、スケジュールを立てる際に、大目標と中目標を設定するのと同じ原理です。

▼講演会は「五感で学べる」絶好のチャンス

ここからは、人から教わる機会の上手な作り方について考えてみましょう。手っ取り早く人から教わる代表的な手段として、講演会や研修に参加するという手法があります。聴覚を活用した勉強法という意味で「耳学問」と呼ばれる選択肢です。耳学問を通じて、学習効果が何倍にも高まることがあります。英語のリスニングなどが、その代表例といえます。『貞観政要』や『菜根譚』などの代表的な中国古典を吹き込んだCDを聴くのもよいでしょう。

英文のテキストの場合は、ただ目で追いながら読むだけでなく、耳で繰り返し聴くことによりフレーズが自分のものとして体得できます。耳を活用するのは、脳を活性化する上で大きな意義があるからです。

ここでの大事なポイントは、五感を意識して活用することです。割合からいうと、勉強に関しては目から得る情報が圧倒的に多く、目以外の感覚器を使う機会が少ないのが現状です。逆にいえば、五感のすべてを万遍なくかつ積極的に使うことができれば、脳にもっと新鮮な刺激を与えることができるのです。

たとえば、未知の分野に簡単に導いてくれるものとして、専門家の話を直接聞くことは大変効果的です。セミナーや講演会を導火線にして、勉強のモチベーションが飛躍的に高まることがあります。「こんなにおもしろかったのか」と、演者のオーラとともに教えてもらえるという意味で、講演会では耳学問が重要な役割を果たしています。

もし本を読んで非常におもしろいと感じたとき、その著者の講演会が近々開かれるのであれば、参加してみるのもおすすめです。講演会には、本で読んだ知識を補足したり深めてくれるという大きな意味があります。

私自身、単行本でこの『一生モノの勉強法』（東洋経済新報社）を刊行したあと、「勉強法」をテーマに何度か講演をする機会を得ました。さらに2011年に起きた東日本大震災を解説した『京大人気講義　生き抜くための地震学』（ちくま新書）の刊行後、地震と噴火に関する予測の講演依頼が増えています。

この種の出版講演会では、本で読んだときに1を理解したことが、著者から直接に聞くことによって、5や10になるということがあります。「実際に著者の話を聞くことで、本に書いてあることを実践する気持ちが固まりました」という参加者の声が印象的でした。

▼質問をぶつけて著者と交流してみよう

講演会では、一方的に話を聞くだけでなく、著者に質問をぶつけることもできます。それによって、新たな発見や感動もあるでしょう。疑問が解けることで、知識がより定着しやすいというメリットがあります。

チャンスがあれば質疑応答の時間に挙手したり、終了後に講師をつかまえてみてはいかがでしょうか。自分の名刺を持参し、礼儀を守った上で的確な問いを発すれば、快く答えてくれる講師はたくさんいるはずです。

たとえ短時間であっても、会話した記憶や内容は後々まで残るものです。時間が許すようであれば、著書にサインしてもらうのも良いでしょう。

私の講師経験からいうと、図星の質問をされると、やはり嬉しい気持ちになるものです。図星というのは、本に書いてあることの「その先の質問」ということです。

事前に本を読んで自習してから聴きにきた人は、本に書いてあることの「次」を質問してきます。一方、読まずに参加した人は、すでに本に書いてあることだけを質問するものです。

著者としては、本に書いていることを繰り返すよりは、その先を質問されるほうが嬉しくて張り切るものなのです。これは大学で講義をしていて、学生の質問に対していつも感じていることでもあります。

鋭い質問であれば、どの著者もそれなりの覚悟で答えてくれるはずです。こうして答えてもらった内容は、一生忘れないくらい鮮烈な記憶として残ります。

▼予習・復習がライブの学びを定着させる

講演会の前に本を読んでおくだけでなく、講演をきっかけに著作を読み直してみるのも、知識を定着させるためにきわめて有効な方法です。つまり、予習と復習が大切だということです。

私は学生に対して「1コマの講義に対して、必ず1時間ずつ予習と復習をしてください」と言っています。予習復習をすることで、はるかに深く講義を理解できるからです。

予習用として、私はあらかじめ講義用のテキストを準備しています。それも難解な専門書ではなくて、火山と地球をテーマにして執筆した新書、すなわち初学者が手軽に読める入門書です。

テキストを読んで講義に臨めば、読まずに来る学生よりも確実に理解できます。ただし、講義を受けただけでは、短期記憶にとどまるため、半年も経てば理解した内容が抜け落ちてしまいます。

そこで、講義のあとで復習することによって、講義で学んだことが長期記憶となって脳にきちんと定着します。内容によっては一生覚えていることもあるくらいです。したがって、今さらながら「予習と復習は大事ですよ」と、大学生に伝えているわけです。これは講演会やセミナーにも応用できる原則なのです。

▼社員研修を有効活用するには

さて、講演会に近い手段として、会社内でも人事施策として行われる社員教育を経験したことがあるでしょう。これについては、正直なところ効能についてやや疑問に思うところもあります。というのは、自分の意志で選んだテーマの研修でない限り、得られるものが若干少ないような気がするからです。

耳学問の成果を得たいのであれば、自分らが選択した催しに参加してほしいと思います。ただし、どうせ研修に参加しなければならないならば、いやいや出席するよりも積極的に取り組んだ方が得策です。何事についても、時間を「無駄にしない」という意識を常に持つことが大切でしょう。

▼思考の枠組みをゆさぶる体験を

講演会やセミナー以外にも、人から教わる手段として「異業種交流会」などがあります。異業種交流会の利点は、違った立場や考え方の人とコミュニケーションを取るチャンスがあることです。

そもそも、人は思い込みの強い生き物です。どんな人間でも、「思い込み」というフィルターを通して物事を考えようとするものです。こうした思い込みは、心理学では「フレームワーク」と呼ばれています。思考の枠組みや価値観のことです。

さて、人は年齢にかかわらず、いつまでも自分のフレームワークから自由ではありません。なおかつ、放っておくと、どうしても自分のフレームワークの強化に走りがちです。好きな本ばかりを読もうとしたり、いつも決まりきった結論を下そうとするのが、その好例です。

この結果、フレームワークの異なる人とは円滑なコミュニケーションが成立しにくくなります。みなさんの周りにも、人の話を頑として受け入れない、あるいはまったく会話が成立しないような、強固なフレームワークの持ち主が存在するはずです。これについては、拙著『京大理系教授の伝える技術』（ＰＨＰ新書）を参考にしていただければ幸いです。

このフレームワークは、大人の勉強にとっても重要なカギになります。自分の勉強の成果を評価してもらうには、必ず他人のフレームワークを考えてアウトプットする必要があります。そもそも社会人にとっての勉強は、基本的には人からの負託にどう応えるかという問いの中に成立するものです。

たとえば、現場で即戦力として周囲からの評価を受ける仕事、言い換えれば自分ではイニシアティブの取れない仕事でいかによい成果を上げるか、が勝負となるのです。

ここでは、誰もが認めるアウトプットを出すことが要請されます。そして、その結果が他人に評価されなければ始まりません。すなわち、自分とはフレームワークの異なる他者からの評価で決まる、という点がポイントなのです。

こうした状況では、相手のフレームワークとの橋わたしをするために、伝え方の「引き出し」をたくさん持つ必要があります。

私の場合で言うと、もし子ども相手に火山の魅力を伝えようとするならば、大人向けの講演会と同じ文脈（フレームワーク）で語ったところで、まったく通じないのが関の山です。

そうではなく、大げさな身振り手振りをまじえたり、あるいは声色を工夫したり、持てる能力をフルに発揮して子どもの感性に合わせた面白い話をする必要が生じます。

ここで相手のフレームワークに合う「引き出し」を増やすために、異業種で働く人を知るのは有意義です。異なる価値観、文脈の中で生きている人との付き合いを通じて、自分のフレームワークを相対化できるからです。自分の知らなかった世界での興味深いエピソードを聞くこともできるでしょう。

たとえば、本を１冊作るにあたっても、編集者だけでなく、イラストレーターやブ

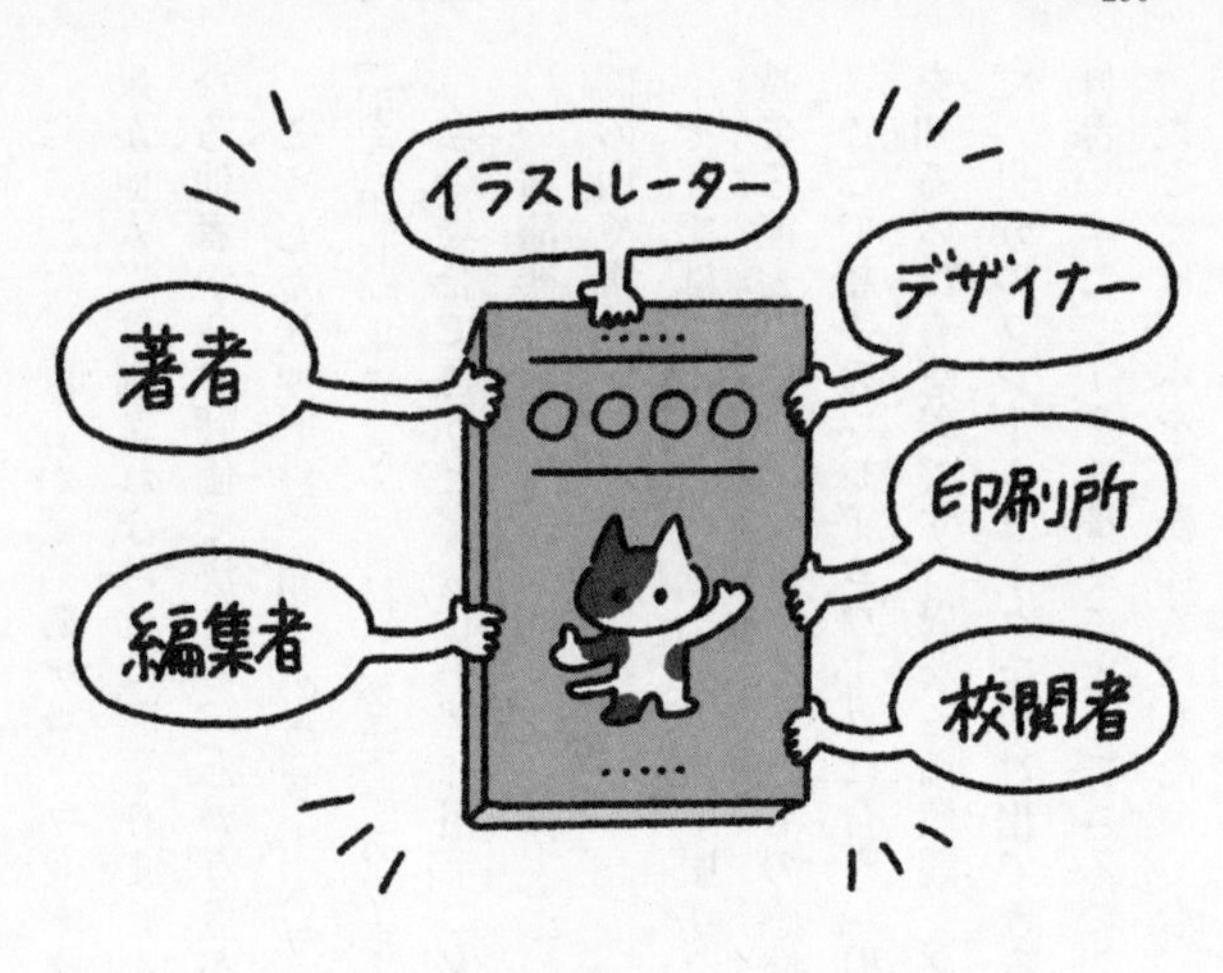

ックデザイナーなど、さまざまな職種の人たちがかかわっているのが通例です。良い本を作るために、科学者である私とデザイナーとは、まったく違う価値観と戦略を持っています。

コラボレーションという言葉がよく使われますが、両者が力を合わせることで、伝えたいメッセージに新しい広がりが生まれる、という効果が表れてきます。

こうしたコラボレーションで大切なのは、フレームワークの異なる相手にきちんと自分のコンセプトを伝える、ということです。火山学者がデザイナーに対して、フレームワークの橋わたしを的確に行うことによって、大きな力が発揮できるというわけです。

▼会いたい人とは1対1で会う

とはいえ、異業種交流会で手当たりしだい名刺交換するのは、あまり意味のない行為だと思います。後になって、膨大な名刺コレクションが人脈形成にほとんど活かされていないことに気付いている人は、かなり多いのではないでしょうか。

積極的に関わりたいと思う人を見つけたら、できるだけ時間を割いて会話し、後で1対1で会う機会を作ることです。ただ名刺をもらって名前を知るだけでは、何も起こりません。その人の感性や、その人の世界を知ることによる驚きがなければなりません。

「そういう世界があったのか」「こんなふうに仕事をしているのか」という発見と、自分の勉強のモチベーションが合致したときに、チャンスが生まれてくるのです。これは相手にとっても同様であり、相手も自分と出会って新しい世界を知ったという驚きが必要なのです。

1対1で会う機会を作るためには、何らかのコンタクトを取ることが求められます。

ただし、一方的に自前のメールマガジンなどを送りつけても、実際のところ効果は疑わしいものです。私自身、名刺交換をした人から、定期的にメルマガが送信されてくるケースがありますが、あまり興味を引かれないのが実情です。

メールはかならず一人一人にあてて出す。なおかつ、相手のフルネームを書く。これが原則です。インターネットを安易に使った送信ではダメなのです。

デール・カーネギーは、『人を動かす』（創元社）の中で、「人に好かれる6原則」を紹介しています。

「人に好かれる6原則」

誠実な関心を寄せる

笑顔を忘れない

名前を覚える

聞き手にまわる

関心のありかを見抜く

心からほめる

当たり前のようですが、ここにあるように、名前（フルネーム）を覚えることは、相手の心をつかむためにも大きな意味を持っています。

誰でも自分の名前をきちんと書いてくれる人の文章は、読もうという気になります。ですから、メールの冒頭に「鎌田様」とあるよりは、「鎌田浩毅様」と書いてあったほうが好印象を受けます。意識するにせよ、しないにせよ、です。

もっと言えば、メールより葉書、葉書より封筒に入れた手紙のほうが、手が込んでいる分、確実に先方の印象に残ります。もちろん、手紙は手書きであることが好ましいでしょう。手書きにしても、筆書きした手紙はボールペンよりもさらに価値が高くなるというものです。

幻冬舎の社長である編集者の見城徹（けんじょうとおる）さんは、執筆を依頼するときに、手書きの手紙攻勢をかけるそうです。

そんな作家の一人が五木寛之さんです。見城さんは、五木寛之さんの作品をすべて読んで、その都度手紙で感想を書き送っていたといいます。最初はまったく相手にされなかったそうです。返事すら返ってきませんでした。

五木さんのほうも、最初は「感想文が来たな」というくらいの印象でした。が、手紙はその後も本を刊行するたびに届きます。返事が来ようが来まいが、見城さんは愚直に手紙を書き続けたのです。

そうこうするうちに、五木さんからは18通目で初めて返事がきて、25通目にして初めて会う機会を得たといいます。

この見城さんの手紙攻勢は、1998年に大ベストセラーとなった五木寛之さんの『大河の一滴』などの仕事に結実しています。

▼手紙の返事を求めてはいけない

手紙を出したのに、返事を寄越さないのは失礼だ——これは随分自分勝手な発想だと思います。手紙は届くだけで、すでに成立しているものなのです。

手紙に返事をもらおうとしてはいけません。本当に胸を打ったときに、初めて返事が返ってくる。そのくらいの気持ちでペンを取ってほしいのです。

誰に対してであれ、手紙には質問を書くのではなく、「感想」を誠実に書くことを心がけてください。返事をうながすのではなく、相手の素晴らしい部分に自分はどれだけ感銘を受けているのかをしたためるのです。心を動かされるような感想を読めば、手紙を送ってきた人に対して、きっと関心を持つようになるはずです。

手紙を通じて相手の印象に残っておけば、いざ会いたいというときにすぐに話が通じるでしょう。私も何回も手紙でやりとりをした後に初対面した方と、すでに何年来の友人のような気がしたという経験を持っています。

▼お互いを高め合う勉強仲間を作ろう

最後に、勉強仲間を持つ効用を紹介することで、本書を締めくくりたいと思います。

勉強をしていると、ときには体調不良に陥ったり、モチベーションが下がったり、スランプを迎えたりするものです。それがきっかけで、せっかく続けていた勉強から脱落してしまう人もいるでしょう。

1人では勉強がなかなか続かないという人は、とにかく仲間を作ることです。仲間を作って学ぶことで、挫折を防ぐ効果が生じます。

大学の通信教育では、「まず、仲間を作ることからはじめよ」と勧めるところもあります。勉強仲間を作ることで突破口が開けることもあるのです。

自分1人で最初から学ぶよりも、自分より少し先まで勉強している仲間から教えてもらうほうが効率的です。同様のテーマで学んできた人であれば、試行錯誤の経験が参考になるでしょう。

私は大学4年のときに上級職公務員試験(現在の国家公務員採用総合職試験)を受ける前に、法学部の学生と2人で勉強会をしました。一次の教養試験の対策として、私が彼に理系科目を教えて、彼が私に文系科目をレクチャーするというものでした。

優れた人は、耳を傾けるべきノウハウを持っています。それが自分に合ったやり方であれば、そっくりマネしてしまうのです。マネからはじめるのも、効率的にステップアップするための重要な戦略です。

勉強仲間を作る場合、2人よりは3人で集まると、たいてい長続きする傾向があります。3人ぐらいで勉強をしていると、1人がくじけそうになっても、残りの元気な2人が励ましてくれます。

グループの人数が多すぎると、今度は逆に、うまくいきません。全員を同じ時間に集めることが難しくなってくるからです。5人くらいまでが適正規模でしょうか。

仲間を作ったならば、仲間内で目標を宣言しあうのも一興です。目標を公表した手

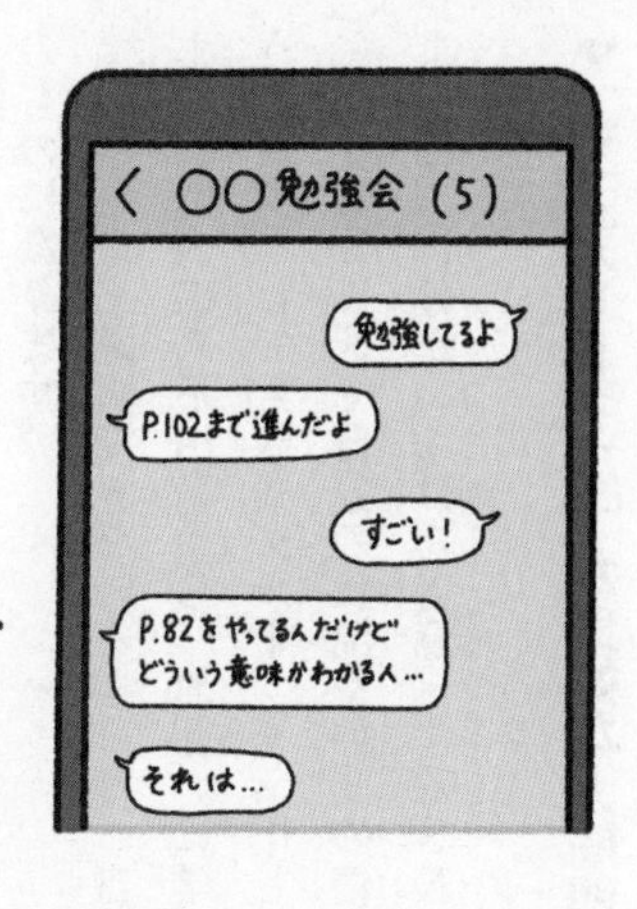

前、簡単にはやめられないという心理効果も期待できます。

ここではメーリングリスト、LINEグループ、Slackなどどし活用するとよいでしょう。さらに、FacebookやTwitterで自分の進展度を周囲の人に申告しながら取り組む方法も有効かもしれません。

その中で復習用のレジュメを回したり、今後の目標や、日々気づいたことなど、こと細かに情報を交換し合うことができます。役に立つビジネス書やノウハウ本、テレビのアカデミック・バラエティなどの放送予定を知らせ合うグループもあります。

仲間を相手に、自分の得意分野で習得した知識を披露するのもよいでしょう。持ち回りで講師役を立て、レクチャーする機会をもうけるのもとても面白そうです。いい意味で、周囲の人間を積極的に巻き込みながら互いに勉強し合うのです。たとえ仲間うちであっても人に教えるためには、学んできた内容をきちんと整理し直す必要があります。ここでは、声に出して説明してみることで、学んだ知識が自分のものになります。

もしうまく説明できないときには、自分が十分に学んでいなかったことがわかります。説明の出来不出来から、お互いに学習の深度が推しはかれるというわけです。こういう場としても勉強グループを活用してはいかがでしょうか。

昨今、SNSで自分の状況や仲間の情報を共有することが非常に容易になりました。よって、自分がいちばん得意とするSNSを勉強に活かさない手はないのです。

▼「ギブアンドギブ」が良好な人間関係のスタート地点

勉強仲間とは、ぜひ「ウィンウィン」の関係を作ることを心がけてください。ウィンウィンとは、双方が利益を上げ、成果を享受できる関係です。ビジネスの世界で最近目につく、競合他社同士による業務提携の動きなどが例として挙げられるでしょう。ウィンウィンの関係になって教え合うことで、良好な付き合いの継続にもつながります。単なる友達ではなく、互いに高め合う大切な友人となるのです。

とはいえ、いちばん難しいのが仲間とウィンウィンの関係を作ることでもあります。学ぶ仲間づくりのためには、まずはエネルギーとお金を投資することです。いろいろな人と食事に行ったり、飲みに行ったりという経験が、後々になって生きてくるのです。

そして、**理想的な人間関係づくりの基本は、何といっても「ギブアンドギブ」から始めることです。**

第1章でもお伝えしましたが、最初からギブアンドテイクの関係を結ぼうなどと高望みをしてはいけません。

ひたすらギブを繰り返す。もう十分と思っても、なおギブを繰り返す。長い「ギブの期間」を経て、はじめてテイクのチャンスがもたらされます。

先ほどの見城徹さんの成功例を思い起こしてください。これがウィンウィンにつながる王道なのです。ここでギブを継続できるかが大きな関門となるともいえるでしょう。

仲間のおかげで、自分では気付かなかった可能性を引き出してもらったり、目標につながるチャンスを与えられることも少なくありません。人間関係は、ときに想像もつかないようなすばらしい価値を生み出すものなのです。私自身、これまでに出会った何十人もの方のおかげで、人生を大きく切り拓くことができました。

いずれにせよ、良い仲間を作って損をすることはありません。そのためには自分も仲間に入れてもらうように豊かな心を持たなければなりません。よい人間関係を作るための前向きな努力が必要なのです。

師匠や仲間は〝知的生産〟の同志なのです。よって自分の出会ったすべての師匠と仲間から誠実にかつ戦略的に教わっていただきたいと思います。

おわりに

本書には、私自身が実践してきた勉強のテクニックが、ぎっしりと詰まっています。勉強の好きな人も嫌いな人も、得意な人も不得意な人も、本書の戦略とノウハウを使えるようになっていただきたい、と願いながら心を込めて書きました。

第5章で触れたように、哲学者のショーペンハウエルは「読書とは他人にものを考えてもらうことである」と警告しています。本を読んだだけで満足するのではなく、読んだ内容を実行して自分のものにすることが大切ということでしょう。

毎日10分でもかまいません。まずは本書に出てきたテクニックの一つでもよいので、実際に試してみてください。行動をしてみると、読んだだけではわからなかったことにたくさん気づくに違いありません。気づいた内容をもとに、どんどん自分なりのカスタマイズを施していけば、もう自分独自の勉強法として、誇ることができるものになるはずです。

本書の最初にも述べましたが、勉強は場当たり的にするものではありません。必ず戦略を立てて、生活の中の「システム」の一部として勉強するのです。

そして勉強はすればするほど、レベルアップするものです。たとえばペーパードライバーであっても、週末のたびにドライブを積み重ねれば、徐々に運転技術が向上していきます。縦列駐車や狭い道の通り抜けも、何度も何度も実践するうちに、スムーズにできるようになるでしょう。

それとまったく同じことなのです。その上、勉強して得た能力は、いくら使っても減ることはありません。一生残る、自分のすばらしい財産となるのです。

また、何度強調しても言い足りないくらいなのですが、勉強はとても「楽しい」ものなのです。新しいことを知ったり、自分の考えが正しいことが証明されるというのは、人間の根源的な喜びにほかならないのですから。

「一生モノ」の勉強を楽しみながら続けていけば、人生が確実に変わります。

仕事の勉強にも、教養の勉強にも、好奇心を持ってチャレンジしてください。そして、いつまでも自分を高めていけるような勉強を続けてください。

読者のみなさんの充実した人生が始まることを、心から期待しています。
終わりに、この本を世に出すに当たり大変お世話になった中村実さんと渡辺稔大さんと岸本利久君に厚く感謝申し上げたいと思います。

京都大学の火山研究室にて

鎌田浩毅

自著解説——「大地変動の時代」に必須の勉強法とは？

旧版の『一生モノの勉強法』（東洋経済新報社）から10年が経ち、勉強法にまつわる状況も大きく変わりました。特に、ＳＮＳをはじめとするネット環境の劇的な変化には目を瞠（みは）るものがあります。

もちろんこうした社会状況に即応して勉強法も更新することはとても重要です。私の周囲にいる京大生は、グローバルに起きている技術革新を毎週のように教えてくれます。

一方で、10年の間に全く変わらないノウハウとテクニックもありました。たとえば、オリジナルな発想を生み出すための知的道具は、同じ物がいまでも通用しています。たとえば、本の読み方、筆記具の使い方、ノートの取り方、講義や講演の聴き方、レポートの書き方、試験の受け方などには、不変のノウハウがあるのです。すなわち、勉強に関する「一生モノ」の基本技術です。

本書ではこうした10年間の変化をつぶさに検討し、変えるべき事と変えなくて良い方法を明確に分けてみました。ネット環境など日進月歩で変わる状況に対しても、変わらぬプリンシプルがあったのです。

新版制作にあたってアップデートした点、工夫した点、この10年前との変化と不変の点の点検は、前著を読んだ方にも初めて本書に出合った方にも役に立つと思います。

それを一言で表現すると、「デジタルとアナログの上手な併用」となります。具体的には、勉強法の要（かなめ）となる情報収集（インプット）には、最新のデジタルを利用します。

一方、インプットから成果を出すアウトプットには、アナログ的な技術が必要になるのです。たとえば、クリエイティブなアイデアや文章を書きたいときに、パソコン上のデータばかり睨（にら）んでいても、なかなか良いものは生まれません。

思考の材料を紙に打ち出して机いっぱいに並べたり、その中から鍵となる一枚の紙だけを持って散歩に出たりする。思い切って、こうした行動をデジタル環境にはさみ込むことで、新しい考えが湧いてくるものなのです。

こうしたノウハウは、私が地球科学者として40年以上の研究を続けるプロセスで確認したものです。よって、本書のサブタイトルは「理系的「知的生産戦略」のすべて」としました。

このキーワードは私にとって初めてではありません。『ラクして成果が上がる理系的仕事術』（PHP新書）と『知的生産な生き方』（東洋経済新報社）の2冊で開示したコンセプトですが、本書では勉強法に関連する技術に絞って記述しました。

実際、京都大学の学生や院生たちと毎年、勉強法のアップデートを一緒にやってみた結果が本書とも言えます。そして読者の皆さんは、この中から自分に合ったテクニックを取捨選択していただければよいと思います。

ここで大事なのは、自ら「カスタマイズ」するということです。どんなに優れた方法でも、自分に合わなければ重荷になるだけです。勉強法では、いつも自分中心に考えて良いのです。そして気に入ったものがあれば、それを自己流に変えて実行してみます。そこでのキーワードは常に「カスタマイズ」なのです。

もう一つ述べておきたいことがあります。

それは私の専門に関わることですが、日本列島は地震と噴火の活動期に入ってしまったという、地球科学的に大きな状況の変化です。

前著が出てから2年後の2011年に、東北地方の沖合で巨大地震が起きました。これは近来まれに見る甚大災害となり、「東日本大震災」と命名されました。

東日本を襲ったマグニチュード9の地震は、我が国の観測史上最大規模であるだけでなく、千年に1回発生するかどうかという非常にまれな巨大地震でした。

歴史を振り返ってみると、日本の9世紀は地震と噴火が特に多い時代でしたが、それ以来千年ぶりの「大地変動の時代」が始まってしまったのです。

この地震によって日本列島の地盤に大きな歪み（ひずみ）が残され、その歪みを解消するように、その後は各地で直下型地震が断続的に発生していることはご存知の通りです。

さらに、こうした超弩級（ちょうど）の地震が発生すると、富士山をはじめとして活火山の噴火を誘発する可能性があるのです。おそらく今後数十年の間、日本列島はさらなる地震と噴火に見舞われる可能性が高いのではないかと地球科学の専門家は心配しています。

こうした状況に置かれた我々の勉強法は、以前とは変わらざるを得ません。まず第一に、地震や噴火は電気をはじめとするライフラインをストップさせます。電気がなければパソコンもエレベーターも使えず、停電が1週間以上も長引けばスマホの電源も底をつくでしょう。

実際、東日本大震災の次には「南海トラフ巨大地震」という甚大災害がひかえています。これは2030～40年ころに発生時期が予想され、被害の規模は東日本大震災より一桁大きくなるという想定が国から出されています。

よって、私はこの大災害をもっとイメージしやすい「西日本大震災」と呼ぶことにしました（拙著『西日本大震災に備えよ』PHP新書）。日本の人口の約半数に当たる6000万人が被害に遭う、とてつもない災害に見舞われようとしているのです。ところが、その深刻さが日本人にはほとんど伝わっていません。

これは近い将来の全国を襲う最大の自然災害ですが、これを生き延びることもいま勉強する大事な目的の一つとなるのではないでしょうか。英国の哲学者フランシス・ベーコン（1561―1626）が説いたように「知識は力なり」です。その知識を供給するのが今後の勉強の成果となるのです。

おそらく大多数の日本人はそんなことなど夢にも思っていないでしょう。しかし、私が「科学の伝道師」として京大生のみならず市民向けの講演に全国を行脚（あんぎゃ）しているのは、こうした状況を知って欲しいからです。

したがって、本書では勉強に関して自分が蓄積したデータや情報が消えてしまわない対策も考えて紹介しています。本書のコンセプトは、「サバイバルのための勉強法」でもあるのです。

最後になりましたが、文庫化にあたり企画からアップデートの作業まできわめて緻密な編集作業をしてくださった伊藤笑子さんに、厚く御礼申し上げます。『座右の古典』に続いて彼女にはちくま文庫２冊目を担当していただきました。

本書が読者の皆さんの勉強法アップグレードに役立つことを祈っています。

勉強の総本山、京都大学の研究室にて

鎌田浩毅

ちくま文庫

新版 一生モノの勉強法
――理系的「知的生産戦略」のすべて

二〇二〇年四月十日　第一刷発行
二〇二四年四月十五日　第六刷発行

著者　鎌田浩毅（かまた・ひろき）

発行者　喜入冬子
発行所　株式会社　筑摩書房
東京都台東区蔵前二―五―三　〒一一一―八七五五
電話番号　〇三―五六八七―二六〇一（代表）
装幀者　安野光雅
印刷所　星野精版印刷株式会社
製本所　株式会社積信堂

ISBN978-4-480-43646-7 C0195

本書は二〇〇九年四月に東洋経済新報社より刊行された『一生モノの勉強法』に副題を加え、大幅に加筆・再構成したものです。

索　引

（注）★は人名、☆は書名を指す。